性の歴史

TEN THOUSAND
YEARS OF SEX

ナンセン＆ピカール 編著
Nansen & Piccard

藤本悠里 訳
Yuri Fujimoto

文響社

Zehntausend Jahre Sex
by Nansen & Piccard
Copyright © 2016 by Benevento Publishing
Japanese translation rights arranged with Red Bull Media House GmbH
through Japan UNI Agency, Inc., Tokyo

はじめに

『性の歴史』——そう掲げられた本書を手に取ることに、最初躊躇いを感じた人もいるかもしれない。それはひょっとすると「性について表立って話すのは恥ずかしい」「性について興味津々な人や、性を語る人はいやらしい」といった風潮や意識が、どこかに息づいているからではないだろうか。

だが、私たち1人ひとりが今ここに存在しているのは、紛れもなく人類が脈々と受け継いできた性の営みがあってこそである。

本書は、紀元前8000年の性行為を表した人類最古の造形物から、現代の出会い系アプリに至るまで、100のキーワードを軸に人類と「性」の1万年を辿る。そこには現代の私たちにも通じる、人類共通の「性」の悲喜交々が鮮やかに描かれている。

ムダ毛を処理し、勝負服を身に纏い、美尻やたくましい男根で性的魅力を競い合う。快感を追い求めて人体をくまなく研究し、様々な手法や道具を発明し、それを日記や文学・絵画・彫刻として仔細に遺す。欲望に身を焦がし、想いが達成されればこの上ない幸福を感じる一方で、やり場のない想いに打ちのめされ、我を忘れることもある。

人類がいかに性と密接に生きてきたかは、まさしく本書が何よりの証拠を示している。というのも、本書は古今東西に生を享けた人々の「性」の記録なしには生まれ得なかった本だからだ。

本書を読めば、時代や国を問わず、性と無関係な人など誰ひとりとしていないことがよくわかるだろう。今まで性に関する話はとかくタブー視されがちであった。だが、性は本当にタブーなものなのだろうか。はたして性は「恥ずかしい」「いやらしい」だけのものなのだろうか。

その判断は、本書を読んでくださるみなさんに委ねたい。

人類1万年の「性」の世界へようこそ。

CONTENTS
目次

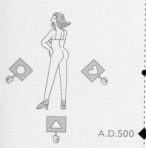

CONTENTS
目次

CONTENTS
目次

001 人類とエロスの出会い

　抱き合う2人の姿がある。肌を密着させ、まるで互いの体が溶け合って1つになったかのような姿だ。膝の上に乗ったほうが、その両脚でもう1人の腰にがっしりとしがみつく。そうして2人は、肩を寄せてひしと抱き合う。

　『アイン・サクリの恋人たち』と題されたこの10センチ大の鉱物の塊は、はるか昔のユダヤ砂漠で、名も知れぬ芸術家がカルサイト（鉱物の一種）を蒐集し、頑丈な工具で加工して作り上げたものである。
　この像を見ていると、ある疑問が自ずと湧いてくる。最後に自分が誰かの腕に抱かれたのはいつだったろうか、と。
　『アイン・サクリの恋人たち』は、人間の性行為を表現した最古の作品といわれている。今から約1万年前のナトゥーフ文化を代表する作品であり、実物を見ると深い考察のもとに作成されたことがよくわかる。この小さな像に、ありとあらゆる性を表すモノが組み込まれているのだ。
　たとえば像を上から眺めると、恋人たちの姿は2つの乳房へと姿を変じる。同じように下から見ると膣が現れ、裏側にひっくり返すと誰がどう見ても勃起したペニスにしか見えないものが現れる。

　このエロティックな像が作られたのは、人類が進化の大きな一歩を踏み出した時代だ。すなわち新石器革命の黎明期である。
　当時、世界各地に散らばった人類はそれぞれの生活様式を根本から変え始

めていた。動物を狩ることを止め、家畜として飼うようになった。穀物を採取するのもやめて、畑を耕すようになった。柵を立て、貯蔵庫を造り、集落を成した。

　こうした生活様式の変化には、数千年を要した。紀元前8000年頃にまず近東で、それから南ヨーロッパや中央ヨーロッパ、アジア広域とアフリカで、そこに暮らす人類の生活様式が完全に切り替わった。人類文化史の始まりである。

　それと同時に、怖さを覚えるほど心地のよい、それでいて感情を乱す、秩序とは正反対の存在が人類の生活に現れる。我々が「性」と呼ぶものだ。

　ここでいう性とは、単純にセックスだけを指しているわけではない。
　件の『恋人たち』の倍の年月を遡った時代にも、大きな胸と丸い尻をもつ裸の女性たちを象った石像は作られていたが、性的な要素が欠けていた。それらの像は愛の行為を賛美しているわけではなく、種の生存と女性の受胎を寿ぐものであった。それゆえに命を授けてくれた太母や女神の姿が象られている。

　新石器革命以前の人間の繁殖行為は、どちらかというと気ままな動物的本能に従ったものであった。そもそも性交と繁殖が一対を為すことを人類が知らなかったことも、大いにありうる。太陽、月、地平線上の火山が自然の摂理に従って動くように、女性が子を孕んでいた。

　人類は定住地を得ると同時に、世界を観察し、理解する余裕を持つようになった。もしかすると庭先で家畜を飼育し始めたことで、2匹の生物が番うことの結果を知ることになったのかもしれない。

　加えて、新石器革命によって私有財産への認識が生まれた。人類史上初めて個人が家や、土地、家畜を所有したのだった。

A.D.1200　　　　　A.D.1400　　　　　A.D.1600　　　　　A.D.1800　　　　　A.D.2020

　所有者が死亡すると、その財産を子どもたちが相続することは自明の理だったらしい。財産を子に相続させるには、当然のことながら誰が自分の子どもであるかを知っていることが前提となる。ゆえに一夫一妻制、つまり男と女が固い契りを結ぶことが魅力的な選択肢となった。

　こうした人類の思考の変遷は、芸術作品のなかに見ることができる。子種を授ける 古（いにしえ） の母なる女神は次第に姿を消していき、とって代わって現れたのが、妻や子ども、己の敷地を疑わしげに監視する父なる神であった。

　セックスは、これまでとはまったく違う意味を持つようになった。権力とその脅威の表象となり、個々の生、またある意味では死の克服の象徴ともなった。子どもを作り、その子どもがさらに子どもを作る……子どもが成長してその子どもを産むことを繰り返すことで、人は不死の存在になれるという考えに基づいたものだ。

　一方で、性は危険をも孕んでいる。婚外子は直系の存続を脅かし、不貞は罪とされた。この頃から性の取り締まりが強化されるようになったのも、なるほど納得がいく。敷地や庭を柵で囲って管理するように、寝所の行為にも規律と規範が設けられるようになった。

　一連の統制によって人類の性の営みは停滞するかと思いきや、むしろこれでようやく燃え上がったといえる。

　我々の祖先は、時代を追うごとに性への執着を増していった。性の女神を崇拝し（第6章「メソポタミアの男女逆転パレード」参照）、オーガズムを導く性交体位について 夥（おびただ）しい量の記録を遺し（第26章「教典に見る古代インドのアクロバット体位」参照）、様々な避妊薬を開発し（第5章「避妊にはワニの糞（ふん）を」参照）、ミス・コンテストを開催し（第25章「古代ギリシアの美尻コンテスト」参照）、SM娼館（しょうかん）を作り

B.C.8000　　　B.C.4000　　　B.C.1000　　　A.D.0　　　A.D.1000

上げた（第61章「SMプレイの女王」参照）。

　セックスは崇拝の対象であると同時に、忌み嫌われる存在だった。芸術に啓示を与える一方で、戦争の発端にもなった。そうして性は、人間が考え得る事象のなかでその好奇の最大の対象となり、現代に至ったのである。

　『アイン・サクリの恋人たち』を眺めていると、1万年以上もの昔に、鉱物を加工しながら像を作り上げる制作者の胸の内に吹き荒れた「感情の嵐」を、感じ取れるのではないだろうか。

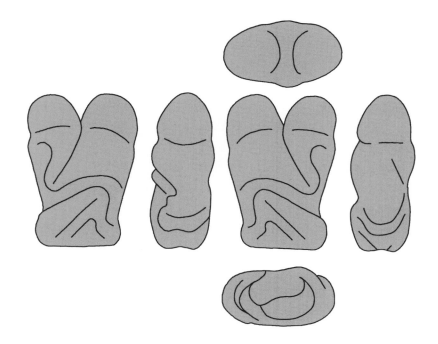

A.D.1200　A.D.1400　A.D.1600　A.D.1800　A.D.2020

B.C. 6000

002　ペニスの顔をした女神

　はるか昔に、女性たちがいわゆる「尻軽」な生き方、つまり本能の赴くままに行動し、情動的で、愛に飢え、性に貪欲に振る舞っていた文化は存在したのだろうか？

　ギリシア北部の町ネア・ニコメディアで、10センチ大の粘土細工が複数発見された。8000年前に作られたもので、小さな乳房と広い骨盤の発育のいい女性が胸の前で手を組んでいる姿を象ったものだ。
　いずれの造形も細部に至るまで非常に興味深い。注目すべきは、肩の上、頭のあるはずの場所に勃起したペニスを乗せた女性たちの像が散見されたことだ。なかには包皮が切り取られ、尿道口がはっきりと見えるものもあった。
　しかしなぜ？
　かの地に集落を築き、この粘土細工を作った約500人の民が、いずれの民族に属する者たちだったのか、どのような容姿をし、どんな言語を話していたのかは不明だ。だが彼らが崇めていたものは明らかである。
　この集落には、正方形の簡素な木造小屋に囲まれて巨大な建造物が建っていた。神殿であり、貯蔵室としても使用されていたのだろう。建物の中心部には、剣や斧といった工具、紡錘とともに、先述の粘土細工が蔵置されていた（ついでに同じく粘土で作られた、小さな色つきの蛙の像も見つかった）。
　ネア・ニコメディアの粘土細工のような、両性具有――つまり半身が女性でありながら、ペニスを持つ造形――の像は、南ヨーロッパやアナトリア半

B.C.8000　　　　B.C.4000　　　　B.C.1000　　　　　　A.D.0　　　　　A.D.1000

島のいたるところで紀元前6千年紀の遺跡から出土している。考古学の調査で、胴体とペニスを模した頭部が別々に作られたことが判明した。おそらく何らかの儀式において胴体にペニス形の頭部をくっつけたのだろう。

　人類は、はるか昔から性器を写実的に表現してきた。勃起したペニスを象った石細工や粘土細工は、石器時代のみならず、古代ローマにおいても作り出されていた（第24章「男根の神様」参照）。男性の強さと能力を賛美するものだったのだろう。

　こうした造形物が性玩具としても使用されていたと推測する考古学者もいる。はたしてそうなのだろうか？　この丈長の、精緻に作り込まれた造形物は、崇拝すべき偶像であると同時に性玩具としての用途も備えていたのだろうか？

　古の伝承は、2つの性の成り立ちや、人間が互いに惹かれ合いながらも1つになり得ないことに理由を与えようとしてきた。

　ネア・ニコメディアの芸術家たちの時代から数千年後、プラトンは人間球体説を唱えた。これによると人間は、4本の腕、4本の足、丸い球体の胴体を持った存在で、女性と男性の両方の特性が一体化していた。

　球体の人間たちの精神は潑剌とし、自信に溢れていた。だが人々は慢心のあまり、やがて神々を攻撃し、その地位を脅かすようになった。ゼウスは人間の反乱を阻むため、両性具有の球体人間を男と女に引き裂いた。プラトンによれば、完全だった元の姿に戻ろうと切望する気持ちが、性愛の源泉であるのだという。

　もしかしたらネア・ニコメディアの人々は、己自身が球体だった頃の姿を形づくり、2つの性を水と粘土で再び繋ぎ合わせようとしたのかもしれない。それにしては2つの性が均等に組み合わさっているとは、お世辞にも言い難い。

A.D.1200　　　A.D.1400　　　A.D.1600　　　A.D.1800　　　A.D.2020

胴体すべてが女性で象られているというのに、男性の肉体で使用されている
部位は性器のみ。しかも、男性器をよりにもよって頭部の位置に取りつけた
のはいったいなぜだろう？　ひょっとすると作成者が男性だったのかもしれ
ない。

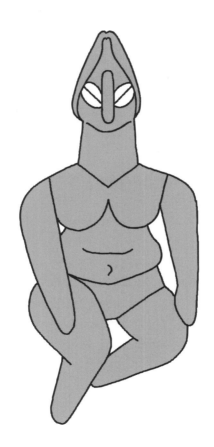

B.C. 2200

 **古代エジプトのムダ毛処理事情**

　紀元前23世紀、古代エジプトに生きた医師アンクマホールは、疑り深く、神経質な性格だったに違いない。死をもってしても、その狂わんばかりの支配欲求を止めることはできなかった。

　アンクマホールは、自身の死後の埋葬方法について仔細に指示を出していた。しかも誰もそれを忘れることがないようにと、指示内容を死者の町サッカラにある自身の墓室の壁に刻ませたのだ。

　特に重視したのが、残された者たちの身辺を衛生的に保つことであった。埋葬儀礼をとりしきる神官に宛てて、象形文字や図を用いながら、埋葬前には体を清めるように念を押していた。また、指示に従わない者がいようものなら「鳥の首を絞めるように、そいつの首を絞めてやる」と脅す過激な言葉も添えられていた。

　アンクマホールはまた、幼少期より陰毛処理に熱中していた。彼の手による陰毛処理方法の図解が2つ残っている。そこには2人の剃毛師が1人の男性客の陰毛を処理する様子が描かれている。剃毛師の片方が男性客の背後から肩をしっかりと押さえ、もう1人が客の前にしゃがみ込んで睾丸の皮膚の皺を伸ばし、刃を沿わせるのだ。

　医療の専門家であったアンクマホールは、生涯にわたって傷病と闘ってきた。図解の1つには「睾丸を傷つけることがないよう客を押さえておくこと」と、剃毛師に注意を喚起する言葉が記されている。

　当時、乳房のまわりや脇の下、デリケートゾーンに生えた毛は体内からの

A.D.1200　A.D.1400　A.D.1600　A.D.1800　A.D.2020

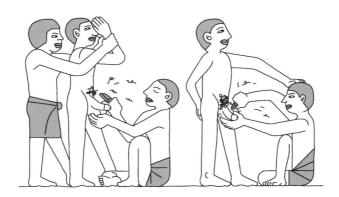

分泌物とされ、不潔とみなされていた。恥部の毛を見ると吐き気を催すといわれるほどだった。神官が定期的に全身の毛を剃るようにしていたことから、陰毛処理が宗教的な理由も含んでいたことがわかる。

　もっとも、古代エジプトでは性と信仰が明確に分けられていたわけではなかった。オシリスやイシスといった神々の性別が明確に決まっていたわけではないが、二柱の神が子どもを作った神話は存在し、ゆえに性行為の神々とされている（第8章「中性的な面立ちのファラオ」参照）。また神殿には、神官のみならず、売春婦も勤めていた（第6章「メソポタミアの男女逆転パレード」参照）。

　古代エジプト人が体毛を処理したのは、道徳的な理由に留まらず、毛を剃った後の乳房や下半身の滑らかな肌を美しく、かつ魅力的だと思っていた可能性もありうる。また剃毛は、贅沢な楽しみだったのかもしれない。

　アンクマホールをはじめ、かの時代の墓室に陰毛処理方法を事細かに記した図が残されている事例は少なくない。剃毛師が神官のペニスを片手に取り、自身のほうへ引いて、恥部の皮膚を伸ばす。頭部を下げて、まるで細部までしっかり見ようとしているかのようだ。その仕草は妙に優しい。客の男は体の力を抜いて座っているが、その表情まではわからない。

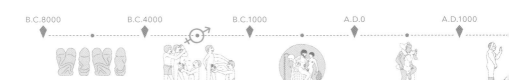

B.C.8000　　　　B.C.4000　　　　B.C.1000　　　　A.D.0　　　　A.D.1000

B.C. 2000

004 シュメールのセックス予報士

「女は裸になったときが、最も美しい。だが、その姿を長く見つめることはかなわない」。

これはシュメール人たちの意見だ。

メソポタミア地域で見つかった約4000年前の粘土板には、次のような予言が記されている。「妻の 膣 を見つめ続けた男は無病息災となり、自分の所有ではない他者の陰部に触れる機会に恵まれるだろう」。こういった性の予言なるものが、100以上も流布していたようだ。

シュメール人たちは紀元前3300年に文字を発明した。文字を使い、収穫物や国家財政の増減、借金の利子などを粘土板に丁寧に記録していた。加えて生活の根幹に関わる重大事も記していたのである。

迷信深い人間は、どんなに馬鹿馬鹿しい内容でも縁起やら凶兆といったものを信じてしまう。たとえば煙突の掃除人だ。冬の最中に動かなくなった暖炉を直してくれるので、幸運の運び手とされている。ほかにも四つ葉のクローバーを探す、左方向から現れた黒猫を避けるといった例が挙げられる。

シュメール人は、幸不幸を決定する力がセックスにはあると考えていたようなのだ。たしかにパートナーの腕の中にいれば、日々の悩みをしばし忘れ、その瞬間をただ生きている感覚になれる。だが別にそれがシュメール人の迷信の源というわけではない。というよりむしろ、全然違う。シュメール人にとって性生活とは、この先の人生を決定づけるものだったのだ。

A.D.1200	A.D.1400	A.D.1600	A.D.1800	A.D.2020

　たとえば先述の妻のヴァギナを見つめ続けた男に関する予言は、あながち外れてはいないだろう。そういう男は雄として優れ、獲得欲が強いので、まだ自分の所有にはなっていない他者が相手だろうと、財産を増やすことで、やがてはその陰部に触れる機会を得る当てができる、ということだ。

　寝室には危険や策略が潜んでいる。ともすれば不幸へ叩き落とされてしまう。「自身のペニスを妻に触れさせる習慣のある者は、不浄である。守護神がその者の祈りを聞き入れることはないだろう」と言われているように。

　シュメール人の性の予言を分析すると、物事の吉兆の法則だけでなく、メソポタミア地域の性生活がいかなるものだったかを垣間見ることができる。どんなやり方が一般的だったのか、何が禁止されていて、何が許されていたのか。「稚児を相手に性行為をする者は、辛苦から解放されるだろう」。こう記された粘土板がある。同性愛も売春も基本的には問題なし、との立場をとる者が書いたのだろう。

　こんな予言もある。「身分を等しくする者と肛門性交をした者は、家族兄弟のうちで最も高い地位を得ることになるだろう」。つまるところシュメール人は、性行為の相手にイチモツを扱いてもらうよりもアナルセックスをすることのほうにやりがいがあると感じていたようだ。だが粘土板の作者たちが、なぜそのように考えていたかについては、残念ながらその作品から読み取ることができない。

　さらに、予言の粘土板の製作者たちは、射精に並々ならぬ関心を示していたようだ。射精を扱った予言が多く目に留まるのだ。オーガズムは、神のお告げとされていた。

　とある名もなき予言者が、次のように記している。

B.C.8000　　　B.C.4000　　　B.C.1000　　　A.D.0　　　A.D.1000

「寝床で女と話し、それから立ちあがって自慰をすれば、男に幸福と喜びがもたらされるだろう。どこへ行っても、みなが賛意を示し、何をしても目的を果たすことができるだろう」。

A.D.1200　　A.D.1400　　A.D.1600　　A.D.1800　　A.D.2020

B.C. 1850

005 避妊にはワニの糞を

「エンマーコムギの種子を燻し、その煙を女の子宮に当てること。その際、女が男根を受け入れることがないように。燻し終えた後、精液を分解するため、油とセロリ、甘口のビールを煮て作った薬を朝に4日、女に飲ませよ」。

　少々わかりづらい文章表現であるのは否めないが、紀元前1850年にパピルス紙に記された医学文書の引用である。発見者のドイツ人エジプト学者ゲオルク・モーリッツ・エーベルスにちなんで「エーベルス・パピルス」と名付けられた。

　子宮に燻煙を当てるというと、女性の肉体に度の過ぎた干渉をしているような印象がある。だが当時の女性たちは抵抗なく、エンマーコムギなどの小麦類の種子を燻した鉢の上に座っていたのだろう。この行為の目的もまた、エーベルス・パピルスに記されている。「これにより女は1年から3年、妊娠しなくなる」。

　古代文明時代のエジプトは、医学研究の中心地であった。古代ギリシアの医師ヒポクラテスは、エジプトの教材を熱心に模写していた。当時すでに医学は専門化されており、内科専門医なる存在もいた。ファラオ付きの内科医は「王の直腸肛門の守護者」という肩書を持っていたそうだ。また、古代エジプト人は骨折箇所に副木を当てたり、義歯を使っていたりもした。

　13枚の医学パピルスに、鼻かぜに対処するための呪いや、体調が悪くなっ

B.C.8000　　　B.C.4000　　　B.C.1000　　　A.D.0　　　A.D.1000

たときに神々が摂っていたとされる薬の記述、さらには2000種以上の薬の
調合法や傷病の治療法が記されているのが見つかっている。そのうち多くを
割いているのが、避妊に関する記述だ。

　古代エジプト人はすでに妊娠の辛さや、子だくさんによる貧困のリスクに
気がついていた。そのため、避妊法のみならず、妊娠のリスクを負わないセッ
クスへの関心が高かったのだ。

　オーラルセックスに関する最古の記述（第22章「皇帝陛下はクンニがお好き？」参照）
は、古代エジプト神話に見つかる。

　神セトが兄オシリスを殺し、その遺体を切り刻んだ。オシリスの妹であり
妻であったイシスは、夫の遺体の断片を拾い集め、繋ぎ合わせた。しかしな
がらペニスを見つけることができなかったイシスは、粘土から人工ペニスを
作り上げ、オシリスの肉体にくっつけると、オシリスが息を吹き返すまで人
工ペニスを吸い続けたのだった。

　エーベルス・パピルスに記された燻煙とビールなどによる避妊措置は、現
代の医学的見地からすると効力があるものとはいえない。一方、医学パピル
スのなかには「ワニの糞を砕いて植物性粘液に混ぜよ」と記しているものも
ある。実際問題、この調剤は有効だったのだろう。糞と粘液を調合して作ら
れた座薬は、膣内のpH値を下げる。膣内の酸性度が高くなることで、精子
が殺されるというわけだ。

A.D.1200　　　　　A.D.1400　　　　　A.D.1600　　　　　A.D.1800　　　　　A.D.2020

B.C. 1500

006 メソポタミアの男女逆転パレード

　小人ほどの背丈の祭司が、大衆の前に現れ出る。寺院内の空気が緊張で張りつめる。同じく背丈が低く、派手な服装の男たちが、錘を高々と掲げて振り回した。スタートの合図だ。此度のルール改定で愉快な要素が加わった。

　寺院の左手には男たちが、櫛を通した髪に飾りを留め、首には貝殻のネックレスをかけている。なかには小さな楽器を両手に抱えている者も。女たちから借りたものだ。石鹸1個を手に持つだけで良しとしたらしい男たちもいる。一方の女たちは男服を身に纏い、杖や弩、石槌を手に持っている。合図とともに男も女も喚声をあげながら、寺院から町なかへと移動し始めた。

　当時世界最大の都市であったウルクでは、年に一度の祭事で男女逆転のパレードがおこなわれた。式次第を事細かく記した粘土板が残っている。

　男女の服装を入れ替えたこの祭事は、性と戦の女神イナンナを讃えるものだ。女と男の2つの性の特徴を併せ持つ神である。知恵の神エンキは、大きなジョッキからビールを飲みながら、「天上の神々のうち最上の者」とイナンナを評した。「イナンナにとって戦は遊戯、豪傑たちが束になって挑んだところでひとたまりもない」。おまけにイナンナは、愛玩動物にライオンを飼っていた。

　イナンナとの同衾を断ることは、死を覚悟することに等しい。だが女神の意に従う者には、感謝の証としてよい待遇が与えられる。「我が臍を激しく

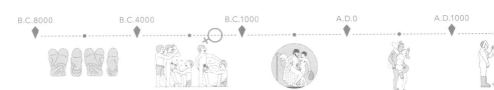

B.C.8000　　　　B.C.4000　　　　B.C.1000　　　　A.D.0　　　　A.D.1000

情熱的に愛撫する者よ／しなやかな腿を撫ぜる愛しき者よ」。神話の中でイナンナは、お気に入りのドゥムジをこのように褒め称えた。「羊飼いドゥムジが乳白濁の液で我が奥を満たす／その手が我が恥毛を撫ぜ／我が下腹を濡らす／そして我が神聖なる膣に両の手を置いた」。

　チグリス川とユーフラテス川に挟まれたメソポタミアは、最古の文明が花開いた地とされている。祭司たちが街の行政組織を整え、税を徴収し、イナンナを祀る寺院内で娼館を営んだ。これを不道徳だと責める者はいなかった。最上位の女神が司るものが、セックスだったからだ。イナンナ自身も、売春婦として働くことがあったようだ。

　ちなみに、女神を讃える年に一度のパレードは、毎回どんちゃん騒ぎの酒宴で幕を閉じていた。いずれの記録にも、参加者たちが互いの服を素早くはぎ取り合っていた様子が記されている。

A.D.1200　A.D.1400　A.D.1600　A.D.1800　A.D.2020

B.C. 1400

007 青銅器時代のセクシー勝負服

　少女の身長は160センチほど、額や側頭部の髪の毛は短く切られていたが、うなじにかかる髪は少し長かった。

　装飾品を好んでいたらしく、男性の気を惹こうとしていたことが窺える。身につけていたスカートは丈が膝上までの短いもので、素材は腰帯から下がる何十本もの細い紐なので中が透けすけである。走ろうものなら太腿の上で紐が舞うようなデザインで、見る者を誘っているようだ。

　少女の生きた時代では、下着は一般的なものではなかった。上半身の服も袖の短いもので、帯の留め金は天文記号が装飾として刻まれたもの、また腕輪を2つとイヤリングを身につけていた。

　デンマーク北部で見つかった少女の遺体を、考古学者たちは「エクトヴィズガール」と呼んだ（「エクトヴィズ」は、遺体の発見地近くに所在する村だ）。3400年以上前に、少女は木の幹の空洞に埋葬されたのである。

　周辺の気候は遺骨や副葬品、また異国風の珍しい服を保存するのに適していたようだった。服に付着していたセイヨウノコギリソウの花粉から、少女の亡くなったのが夏だったことがわかった。大昔のユトランド半島といえど、夏は暑かったに違いない。

　青銅器時代初期の衣服は厚みのある温かい素材を、機能的かつ節度あるデザインに仕立てたものだった。エクトヴィズガールの身なりは、独特だったのである。

B.C.8000	B.C.4000	B.C.1000	A.D.0	A.D.1000

腰につけた日輪型の青銅の留め具や、丈の短いスカートから、当時の北欧の信仰生活において祭司を務めていたことが窺える。奇抜な服装も、信仰と性に関わる特別な地位にあったことを示すものなのだろう。

少女自身が、この誘惑的なスカートを作り出した可能性も否めない。ただの裸体よりも、少し隠れた部分があるほうが魅惑的であるのを知っていたのだ。もしかしたら、露な肌へ視線を誘導するために、あえて服を身に纏ったのかもしれない。青銅器時代の絶対領域である。

華美な副葬品が遺体に添えられていたことから、裕福で権力のある男の妻だったと推測されるが、墓から少女の秘密をすべて暴くことは難しい。エクトヴィズガールは、原史時代のヨーロッパを生きた謎多き存在なのだ。だが、女性は秘密のあるくらいが、セクシーではなかろうか。

青銅器時代のユトランドの人々もまた、どこか異国的な雰囲気を少女から感じ取っていた。髪の毛や指の

A.D.1200　　A.D.1400　　A.D.1600　　A.D.1800　　A.D.2020

爪、歯を分析したところ、少女がユトランド半島の出身ではないことが判明した。ドイツ南西部の「黒い森」の生まれだったのだ。生まれ故郷とユトランドのそれぞれ有力な部族の同盟を強固にするために、嫁に出された可能性は充分にありうる。

　また、遺体の骨から分子の痕跡を分析した結果、少女が生まれ故郷に一度帰還し、数か月を過ごした後、エクトヴィズへ戻ったことも明らかになった。エクトヴィズに戻ってわずか数か月後に少女は亡くなった。まだ18にも満たない年齢だった。

B.C.8000　　　B.C.4000　　　B.C.1000　　　A.D.0　　　A.D.1000

B.C. 1350

008 中性的な面立ちのファラオ

アメンホテプ4世──またの名はイクナートン──は生前から人々を魅了した人物だった。紀元前1350年頃にナイル川流域を支配していたファラオにして、その出自は星にあり、神々によって地上へ送られた神である、といわれていた。

現存する石像を見ると、実際人目を惹く容貌だったのがわかる。くっきりとした瞳に、面長な顔立ち。どの時代の人をも惹きつける魅力がある。

ドイツの作家トーマス・マンは長編歴史小説『ヨセフとその兄弟』のなかで、イクナートンの容貌を次のように描写した。

「その顔に精神性と肉感性とが混じり合い、痛ましく絡み合っている様が見てとれた。まだ少年の面影が残りながらも、傲慢と放縦に傾きつつあるのが窺える。美しいでもなく、愛らしいわけでもない。だが、人を惹きつけ、心乱すような魅力があった」。

見る者の心を乱すのは、イクナートンの容貌が中性的であることに由来するのだろう。線の細い顔立ち、ふっくらとした唇、わずかに弧を描いた瞳の形。古代のエジプト王たちが総じて逞しい筋肉を持つ勇猛な戦士といった姿を残しているのに対し、イクナートンの肖像はいずれも細く華奢な体格をし、腹が妊娠初期のように丸みを帯びた姿だ。

だからといってイクナートンが異星人だったわけではない。グラムロックの原点である両性具有の始祖といえる存在なのだ。

A.D.1200　　A.D.1400　　A.D.1600　　A.D.1800　　A.D.2020

イクナートンの妃（きさき）は、その美貌によって名高いネフェルティティである。このファラオ夫妻が共に描かれた肖像を見ると、どちらがどちらともわからないほど両者が似た姿をしている。

　この性別の曖昧さは、宗教的、ともすれば政治的な背景に起因している。16歳にして王位に就いたイクナートンは、太陽神アテンを絶対にして唯一の神として定めた。それ以前、古代エジプト人は数多（あまた）の神々や怪物を信仰していた。それぞれに使命があり、それぞれが男女の性を与えられていた。

　イクナートンは他の神々を祀る神殿を閉鎖させ、神官たちを追放し、その宝物（ほうもつ）や財産を差し押さえた。地上に光と熱を注ぎ、命を息吹（いぶ）かせる太陽を崇めるアテン信仰は、最古の一神教といえる。

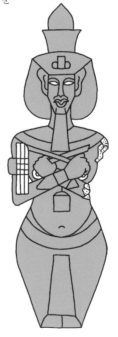

　アテン神は、男性でも女性でもない存在だった。その姿は日輪、そこから人間の手の形をした陽光が何本も伸びているのだ。

　中性的な神は、やはり当時の潮流の影響を受けたものなのだろう。少なくとも上流階級にいる者たちは、ファラオの両性的な容貌を模倣していた。

　男女の区別が徐々に曖昧になっていき、男性も女性も化粧をし、香水を使い、装飾品を身につけ、鬘（かつら）をかぶった。人工的に作られた美しい髪の毛は、愛の駆け引きで活用されることが多かった。鬘は、勝負下着と同じ役割を担っていたのだ（第7章「青銅器時代のセクシー勝負服」参照）。

| B.C.8000 | B.C.4000 | B.C.1000 | A.D.0 | A.D.1000 |

B.C. 1300

009 古代エジプトの愛のビール

　ハヤブサの頭を持つ太陽神ラーは憤っていた。エジプトの民が、神の意に従わないからだ。人間たちに死をもって罪を償わせるため、ラーは娘のハトホルを地上に遣わした。ハトホルは何千人ものエジプトの民を虐殺し、血に飢えた様子で夜半に帰還した。

　ラーとハトホルのあいだには、このとき音楽の神イヒが生まれていた。愛する娘でもあり、妻でもあるハトホルを迎えた太陽神は、しかし罪の意識と将来の不安とに苛まれた。ハトホルを止めなくては、地上には自分を祀る人間がいなくなってしまう。

　そこでラーは使用人に、血のように赤いビールを作らせることにした。その際、隠し調味料にマンドレイクの根を惜しみなく使うように指示を出したのだった。

　──これは『天の牝牛の書』に記された神話の一部である。紀元前1279年に亡くなった王セティ1世の墓に刻まれていたのが見つかった。全能の神々ですらマンドレイクを調合していたというエピソードから、この薬草の重要性が窺える。

　一般的にマンドレイクと呼ばれる植物、またの名をマンドラゴラ・オフィシナルムは、地中海全域と中央ヨーロッパに自生しており、スミレのような花を咲かせ、香りのよいトマトのような実を成す。

　ナス科の植物で、麻酔作用のある数種のアルカロイド、スコポラミン、ア

A.D.1200　　　A.D.1400　　　A.D.1600　　　A.D.1800　　　A.D.2020

トロピンなどを含んでいる。これらの化合物により、マンドレイクを大量に摂取すると重度の幻覚が引き起こされる。少量でも昂奮、緊張の緩和、性欲増強の作用が働く。数千年にわたり、最もよく使われてきた媚薬がマンドレイクである。

　旧約聖書ではマンドレイクの実は「恋なすび」と呼ばれ、古代ギリシアの医師たちはマンドレイクに絶対的信頼を寄せ、古代エジプト人たちはこの植物を神聖なものとした。

　メンフィスで見つかった紀元前14世紀のレリーフによると、若きファラオ・スメンクカーラーが妻メリタトンからひと束のマンドレイクを贈り物として受け取ったという。2人を待ち受ける性行為を象徴する愛の妙薬だ。

　さて、マンドレイクは血に飢えたハトホルにも効果を発揮した。神話によると、翌日もさらに人を殺そうと殺気立つ女神の前に、砂漠に浮かぶ大きくて真っ赤な湖が現れた。「血だ！」。女神は湖に近寄ると、思うままその水を飲み始めた。実はそれは血の湖ではなく、ラーに命じられた使用人たちが零したマンドレイクのビールだったのだ。

　その晩、ハトホルは深い眠りに就いた。目覚めた頃には素面になっており、残虐な暴力と復讐のことはすべて忘れ去っていた。女神は父のもとへ戻ると、その後も愛と性欲の女神としての役割を果たしたのだった。

B.C.8000	B.C.4000	B.C.1000	A.D.0	A.D.1000

B.C. 1150

010 人類最古の「薄い本」

　若い女が緑のクッションに身を投げ出している。その腰を背後にいる恋人に預けているあいだ、クッションを抱きしめていたいのだろう。女の鬢の毛を、男の手が引く。女は振り返り、男の瞳を深く見つめて微笑む。

「トリノ・エロティック・パピルス」の名で呼ばれるその資料は、北イタリアの街トリノのエジプト博物館に保管されている。背の低い禿げ頭の男たちが、立っている女性や椅子に腰掛けている女性たちの膣に、そそり立つ巨大なペニスや、首の長い壺を挿入している場面を描いたものだ。

　なかには女性が囁く台詞が記されているものもある。

「さあ、私の後ろに立ってちょうだい。あなたのを挿れてくれたら、楽しませてあげる」。

　紀元前1150年に古代エジプトの都市テーベで名もなき作者によって描かれたこのパピルスを研究した結果、ラムセス4世の治世にすでにロールプレイや、性玩具、売春宿という存在があったことが立証された。

　そう、これは人類史上最古のセックスを扱った「薄い本」なのだ。ただしポルノ目的なのか、風刺なのか、それとも性教育の教材として使用されていたのかは定かではない。

　1枚の絵を例にとってみよう。2人の少女の引く戦車に、女が乗っている。女は前屈みになり、その背後から男がペニスを挿入している。男の右手が、

A.D.1200　　　　A.D.1400　　　　A.D.1600　　　　A.D.1800　　　　A.D.2020

古代エジプトの楽器システルムを振り鳴らす。性欲の女神ハトホルを象徴する誘惑の楽器だ（第9章「古代エジプトの愛のビール」参照）。

　現代のポルノは意図されているものが明白で、出来事ただそれだけを扱っていることが魅力だが、トリノ・エロティック・パピルスは、描かれているものを「解読」する手間を要する。

　先ほどの戦車の絵に関していえば、女性の前に猿が座っている。小道具なんてとんでもない、この猿こそ、場面のエロスの重要性を強調させる存在なのだ。古代エジプトにおいて、猿は女性性の象徴であった。なぜ猿が女性性を象徴するのか、その理由の詳細はわからない。

　とはいえ、セックスには秘密のあるほうが、味がある──そうではないだろうか？

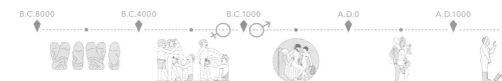

B.C. 900

011 オナンはオナニーしない

　セックスについて父と息子が会話するのは気まずかろう。旧約聖書のとある父子の場合はどうだったのか。紀元前900年に記されたとされるモーセ五書のはじめの書『創世記』を紐解いてみよう。

　イスラエルの民の祖ヤコブの息子ユダは、2番目の息子オナンを呼び出して言った。

「兄の妻の所にはいって、彼女をめとり、兄に子供を得させなさい」（創世記38 - 8）

　オナンの兄エルは、妻タマルとの婚姻後に亡くなっていた。当時の婚姻の慣習に従って2番目の息子は、長男の妻と子をなすことで系統が途絶えないようにする義務があった。

　だが、オナンは父の指示に喜びはしなかった。この時代はまだ、子が両親の要望に歯向かうことは一般的なことではなかった。オナンはタマルと関係を持つが、父の命令に関しては一計を案じた。

「兄の妻の所にはいった時、兄に子を得させないために地に洩らした」（創世記38 - 9）

　オナンは、意図的にタマルの膣外に射精をし、精液を「地に洩らした」のだ。旧約聖書では、オナンのこの避妊行為が厳しく批判されている。タマルが求めれば、オナンの顔に唾を吐きかけることだって許されただろう。神がオナンに下した罰は、さらに厳しいものだった。

「彼のした事は主の前に悪かったので、主は彼をも殺された」（創世記38 - 10）

A.D.1200　　　A.D.1400　　　A.D.1600　　　A.D.1800　　　A.D.2020

　18世紀のイギリスにジョン・マーティンという無免許の医師がいた。マスターベーション反対の意思を表明した著書を記し、オナンにちなんで『オナニア――あるいは、自慰という忌まわしき罪と、男女両性にもたらされる恐るべき帰結――ならびに、この忌むべき習癖によって罪を犯してしまった者たちへの精神的および肉体的助言』と題した。

　だが先述の通り、オナンは知略をもってして避妊を実行したに過ぎない。なにゆえにマスターベーション反対運動の守護聖人にかつがれることになったのか、理由は定かではない(第53章「アンチマスターベーション・マーケティング」参照)。きっとマーティンは旧約聖書をしっかり読んではいなかったのだろう。

　オナンは死刑に処されただけでなく、その名誉に傷がついてしまった。タマルはというと、2人目の夫を亡くし、未だ子をなしていなかった。だが、跡継ぎ問題はやがて解決する。

　ある日、タマルは被衣で身を隠し、義父を訪ねた。「ユダは彼女を見たとき、彼女が顔をおおっていたため、遊女だと思」(創世記38 − 15)うが、タマルはあえて誤解を解くことをしなかった。それどころか夜の報酬に山羊を受け取ることで合意し、床を共にした
のであった。

　まもなくタマルは子を宿し、双子を産んだ。この双子の系譜には、かのダビデ王も名を連ねている。

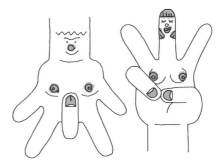

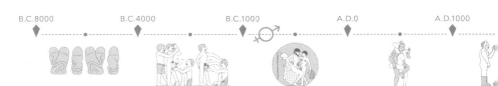

012 ギリシア神話の性転換

　有史以来、人類が抱いてきた疑問がある。人類だけではない、神々もまた同じ疑問に首を傾げてきた。すなわち「男と女、どちらのほうが夜の床でより快楽を得ているのか？」という問いだ。

　今から2700年前、古代ギリシアはボイオーティア地方に暮らしていた詩人ヘーシオドスが綴ったところによると、神々の父ゼウスとその妻ヘラがまさしくその問題を議論したという。

　ヘラは、ゼウスをはじめ万物の雄こそが、性交でより快楽を得ているものと主張。一方ゼウスは、女性のオーガズムは男性よりも激しいと言う（とはいえゼウスの場合、性に関しては自意識過剰なところがある。人間の娘を誘惑するのに雄牛や白鳥に身を変ずるほどだ）。

　オリンポス山で繰り広げられる議論があわや夫婦喧嘩に発展しかけたところで、この疑問に答えられる者が地上にいることをゼウスとヘラは思い出した。ヘーシオドス曰く、その者の名はテイレシアース。羊飼いエウエレスとカリクローの息子で、ゼウスに仕える神官であった。

　ある日キュレーネー山で2匹の蛇が交尾するのに出くわしたテイレシアースは、雌蛇を杖で打ち殺した。だが罰として、自分自身の体が女性に変わってしまう。

　ヘラを祀る神殿に移ったテイレシアースは、子を産んだ。諸説あるが、女神官として勤める傍ら、売春婦としても成功していたようだ。7年後、新た

A.D.1200　　　　A.D.1400　　　　A.D.1600　　　　A.D.1800　　　　A.D.2020

に交尾中の蛇を見かけたテイレシアースは、今度は雄蛇を殺し、再び男性の肉体を得たのであった。

さて、神々から件の問いを投げかけられたテイレシアースは、答えた。女性の快楽は、男性の9倍である、と。これを聞いてヘラは憤り、女性の秘密を暴露したこの神官の眼から、光を奪った。

神々の父といえど、テイレシアースの負った傷を癒やすことはついにできなかった。代償としてゼウスは、予言の力と常人より7倍長い寿命をテイレシアースに与えた。

そういうわけでテイレシアースは、ギリシアの神話や劇のなかで、悲嘆にくれた予言者として現れ、未来を警告する存在となる。

オイディプス王を例にとってみよう。父殺しの犯人を追う王は、テイレシアースを訪ねる。だがテイレシアースは「罪人の正体を明らかにすることを、本当はオイディプス自身が求めていない」と言う。後にオイディプス王は、自分こそが父殺しの犯人であることを知り、正気を失うのであった。

予言者テイレシアースは謎めいた言葉を好んだ。その実、彼自身こそが、大いなる秘密に包まれているのではなかろうか。雄蛇を殺してでも男性の姿を取り戻したのは——女性として残りの人生を送ることを選ばなかったのは——いったい全体なぜなのか。本人が言っていたはずではないか、女性の快楽は男性の9倍だ、と。

B.C.8000	B.C.4000	B.C.1000	A.D.0	A.D.1000

B.C. 591

⑬ エーゲ海の秘密の花園

　蒼い空と蒼い海の広がるエーゲ海地方に、美しき島がある。夜明けを告げるギリシアの太陽の光が降り注がれるこの地に、長い巻き毛と美しい容貌を持つ古代ギリシアの高名な女流詩人サッポーは、若き女学生たちを集めた。

　紀元前591年、サッポーはレスボス島にかの名高い学校を建て、娘たちに音楽・舞踊・歌唱・詩文などの教育を授けた。加えて女学生たちには、愛の女神アフロディーテや、家庭生活の守護神ヘラを崇拝させていた。

　配偶者として完璧な女性になるための教育を施す学校などというと、いささか男の妄想じみた響きがある。だが事実、サッポーはおそらく彼女自身の妄想であったこの学校の設立を、地中海に浮かぶこの島で実現させた。

　サッポーの詩に、男性は滅多に姿を現さない。登場したとしても鬱陶しい存在、美しき女性たちの友情に亀裂を走らせようとする傲慢な邪魔者として描かれている。一方で彼女自身、舞踊の授業で生徒に体を密着させたり、ひょっとしたら生徒と恋愛関係を築いたりすることもあったかもしれない。「あなたの笑みは焦がれるほどの想いを掻き立て、私の／胸の内で心臓がひどく乱される／あなたを見た瞬間から私の喉は／声を失い、舌は麻痺し、小さな炎が／身内から肌を刺すように舐める。両の／瞳は何も捉えず、轟きとざわめきが／耳のなかに籠もり、鳴り響く」。

　サッポーという人は、その明瞭な詩文が称賛される一方で、生き方については道徳的にいかがなものかと批判されてきた。「セックスにとりつかれた

A.D.1200　　　A.D.1400　　　A.D.1600　　　A.D.1800　　　A.D.2020

ふしだらな女が、その自堕落を詩に綴った」と罵る批評家もいる。

　彼女の時代から数世紀後、ビザンツ帝国の聖職者たちはサッポーの作品の大多数を破棄させた。残されたエロティックな頌歌（しょうか）や賛歌、哀歌の断片が、9冊の詩集に編纂（へんさん）された。

　サッポーに対する非難の原因は、彼女が女性を好んでいたことにあるわけではないと思われる。古代ギリシアでは、同性愛（ホモセクシュアリティ）は問題にはならなかった（第16章「スパルタの衆道」参照）。妻のほかに愛人を持つことは、一般的なことだったのである。サッポーが複数の女性と関係を持っていたとしても、咎める（とが）者はいなかっただろう。

　問題は、女性作家がその欲望と妄想をはっきりと自覚して、作品に綴ったことである。これが女性にあるまじき行為とみなされたのだ。

　サッポーは「サッポー詩体」と呼ばれる独自の詩形を作り上げた。4行から成る連のうち、最後の行を短くして目立たせる手法だ。4行目の音節は、前の3行の半分しかない。

　従来とは異なる新しい詩形によって生み出されたサッポーの詩文には、型破りだが進歩的なメッセージが込められている。すなわち「女性にも性欲を持つ権利がある」ということだ。

B.C.8000　　　B.C.4000　　　B.C.1000　　　A.D.0　　　A.D.1000

B.C. 590

墓室に描かれた
エトルリアのSMプレイ

　大切な者が亡くなった悲しみを乗り越えるには、彼または彼女が生前いかに素晴らしく刺激的な人生を送っていたか、を思い出すより他にない。

　エトルリアの名もなき貴族を埋葬した墓室は、3次元死亡広告ともいうべき所産である。イタリア出自の名も知れぬ芸術家の手によって、墓室には生を善きものとする様々な物事が描かれた。16平方メートルほどの広さの墓所の中、ある壁には拳で殴り合う男2人の姿が、別の壁には踊り手とグラスを高々と頭上に掲げる酒飲みの姿が描かれている。

　入口から右手には野性的なラブシーンが展開され、裸の女が前屈みになっている。まるで目の前に立つ男を口淫で満足させようとするかのように。その尻は、背後に立つ別の男へと突き出されている。この男もまた一糸纏わぬ姿で、枝なのか鞭（むち）なのか、細長いものを片手に持っている。

　女の前に立つ男の髪からは、房飾りが垂れ下がっている。女に自身を咥（くわ）えられ、口もとには笑みが浮かんでいる。左手は腰に当てられ、右手は女を打とうとするように掲げられている。そうしながら同時に、自分たちを眺める観光客へと目くばせを送っているかのようだ。

　「鞭打ちの墓」と呼ばれるこの墓室は、紀元前590年のもので、SMプレイを描いたものとしては最古のものだ。埋葬された貴族は、野蛮人のように他人の悲痛を楽しむ趣味を持っている人間ではなかったかと推測される。

A.D.1200　　　A.D.1400　　　A.D.1600　　　A.D.1800　　　A.D.2020

エトルリア人は「善き人生」なるものを心得ていた（今のイタリア中部トスカーナ地方に暮らしていたことを考えると、不思議なことではない）。1日に2回の豪勢な食事を摂り、銀の杯から酒を飲み、花の寝床に身を休める。そんな彼らの遺した壁画には、やがて死にゆくまでの束の間の愉楽や、スポーツ、飲めや歌えや踊れやの宴会、そしてセックスへの賛美が描かれている。

　件のSMプレイを描いた壁画は、野性的かつ自然な印象を与える。ワインにミルクと砂糖を加えて甘く味付けていたエトルリア人たちは、愛の遊戯も時には特別な調味料を加えることで味わいが変わることを知っていたようだ。また、SMプレイにおいて互いに敬意を払い合うことが最も大切なマナーであると、充分に理解していたように思われる。

　紀元前330年頃にギリシアはキオスの歴史家、テオポンポスが不快混じりに記したところによると、エトルリア女性は自らを夫の所有物ではなく、「めっぽう酒に強く」よそ者に対しても心の開かれた存在である、と考えていたらしい。

　女は男よりも弱い性といわれがちだが、エトルリア女性たちの自意識がいかほどであったかは、公共の場で全裸でスポーツをしていた、という史実から読み解けるのではなかろうか。

　ところで「鞭打ちの墓」は、鮮やかに色づけされた内装だった。灰色を題名に冠した現代のSM小説『フィフティ・シェイズ・オブ・グレイ』（E・L・ジェイムズ著）とは、趣がまったく異なる（第97章「通信販売でSMプレイ」参照）。一緒くたにしないでもらいたい。

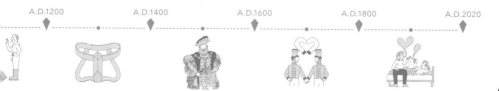

A.D.1200　　A.D.1400　　A.D.1600　　A.D.1800　　A.D.2020

B.C. 540

015 中国・晋公の底無し性欲生活

　春秋時代の中国、現在の山西省に実在した晋国の君主・平公は、侍医より恐るべき診断を下される。紀元前540年、年代記に従えば庚申の年の終わり、まもなく辛酉の年が始まろうという頃のことである。

　晋平公は体の衰弱を訴えていた。侍医が言うことには、不調の原因は栄養不足にあらず。また睡眠不足でもない。……「性交のし過ぎ」が元凶なのだ！

　そもそも晋平公が唯一情熱を注ぐ対象が、女性という存在である。四六時中4人の女性を侍らせていたというのだ。

　公は取り乱し、医師に尋ねた。「では朕は、女に接してはならぬと言うか？」医師が答えて曰く、「女は男の力、すなわち陽の力を高めます。ゆえに女と夜を過ごすことは望ましいのです。しかしながら性交の回数も度が過ぎると、体内に熱が生み出され、精神を害するようになります。陛下、御身は性交を控えることがなく、それどころか昼日中に行為に耽ることすらございます。病を防ごうというのなら、いったいどうなさるおつもりか？」

　この医師が、道教の教えを受けているのは明らかだ。道教は森羅万象を、陰と陽の対立する属性に分類する。女性と男性、受動性と能動性とに、だ。この教理に基づき、複雑な性の教義が生み出された。生物エネルギーである気は、膣液（陰）にも精液（陽）にも含まれている。陰の気が無限に流れているのに対して、陽の気は限りある資源である。

道教では、セックスとは一種の取引とされる。つまり、男性が、女性の陰の気を手に入れることが目的なのだ。女性のほうも性行為、とりわけオーガズムを通じて、陰の気が揺り起こされる。こうして両性とも、気を身内に蓄えることができるのだ。だが男性の場合、射精で陽の気を多少なりとも失ってしまう。こればかりはどうしようもない。

　道教のいうよいセックスとは、女性が何度もオーガズムに達し、男性は一度だけ達すること（本当に望ましいのは達しないことなのだが）。この論理に従えば、男性がマスターベーションをすることは罪にあたる（第11章「オナンはオナニーしない」参照）。女性から陰の気を得ることなく、陽の気を浪費するからだ。一方で、性の治癒士ともいうべき女性は、好きなだけマスターベーションをすることができる（ついでにアナルセックスやクンニリングスも陰の気の生成を促す行為である）。

　道教は射精を遅らせる、あるいは射精を阻むための、あらゆる技能を生み出した。

　たとえば亀頭を思い切って指で押さえれば、射精を止めることができるだろう。鍛錬を積めば、気持ちの昂りを意識的にコントロールすることができるようになる（そもそも陽の気を発するのは、子をなす意思があるときだけでよい）。

　夜の寝床で射精しないように、特製薬の調合法も編み出された。牡鹿の角を粉にしたもの、ヒマラヤスギの種、ネナシカズラ、セイヨウオオバコ、ヒメハギ、チョウセンゴミシ、オニクをそれぞれ4グラムずつ水で混ぜ合わせて、経口摂取するのだ。

　晋平公がいかなる治療法を実践したのかは伝えられていない。だが侍医の診断に従って、性生活を改めたのではないだろうか。衰弱から回復した後8

年生き、高齢で逝去したからだ。

　とはいえ道を極めるには至らなかったらしい。道教によれば、完璧なセックスを実行する者は、不死の肉体を得ることができるのだそうだ。

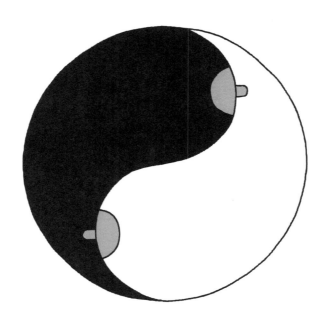

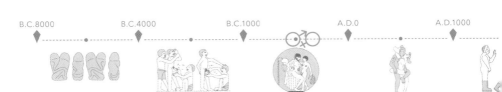

B.C. 430

016 スパルタの衆道

　古代ギリシア時代の都市国家スパルタ（ポリス）の少年たちは、誘拐された後、その"犯人"から世話を受けていた。

　12歳のアゲシラオスの顔にはまだ髭（ひげ）が生えておらず、その髪は短く切り揃（そろ）えられていた。この美しく華奢な少年に目を留めたのが、リュサンドロス提督であった。提督は夜の闇に紛れ、少年が家族と暮らす家に忍び込むと、アゲシラオスを連れ去った。

　馬に乗って逃げる誘拐犯を家族が追う。だが本気ではなく、一応追いかけただけ、お決まりの悪態を呟（つぶや）いただけに留まった。

　家族の反応は、さして問題ではない。もしもアゲシラオスに興味を持ち、拐（かどわ）かしたのが身分の卑しい男であったなら、大事になっただろう。かといって誰もアゲシラオスに興味を持たず、拐かそうともしないのであったら、それも大問題だった。

　幸いアゲシラオスに興味を持ったリュサンドロスは、武勲の誉れ高い戦士であった。またアゲシラオスのほうも、スパルタを治める2王家の1つエウリュポン家の出自で、たいへん器量のよい少年であった。そのためリュサンドロスの誘拐は、万事つつがなく遂行された。

　リュサンドロスとアゲシラオスの愛の幕開けは、やや荒っぽいものだった。しかし古代ギリシアでは、大人の男性（エラステース）が少年の恋人（エローメノス）を持つことは一般的であった。

A.D.1200　　　A.D.1400　　　A.D.1600　　　A.D.1800　　　A.D.2020

この関係性は、スパルタ社会では特別な意味を持つものだった。

軍事国家スパルタでは、若手教育が国策の中心に位置づけられるほどの重要性を持ち、厳しい規律のもとに実施されていた。少年たちは12歳になると軍の訓練所に送られ、戦闘マシンになるための「調教」を受けた。

同時に、経験豊かな戦士がそれぞれ少年を見出し、拐かした。戦士と少年の関係は対等ではなく、明らかに性的な要素を含んでいた。精液を受け入れることで、戦士の闘志や強さ、勇気が少年に受け継がれるという考えが、当時は優勢だったのだ。

少年たちが訓練所にふさわしくない振る舞いを見せたり、めそめそと嘆いたりしようものなら、教育係の戦士によって罰せられたのだろう。

2人の関係は、少年が教育を終え、髭と髪を伸ばし、女を娶るまで続いた。一人前となったかつての少年は、やがて自身のエローメノスとなる少年を拐かすのである。だが教育者と弟子は、その後も密な繋がりを持ち続ける。

スパルタ社会を成すのは、戦と競争だ。男たちはみな遠慮容赦なく政治権力、女、富、生存を求めて競い合っていた。信用できるのは、自身のエラステースとエローメノスだけだったのだ。

アゲシラオスもまた、自身の教育者との関係から得るものがあった。紀元前399年、スパルタ王が逝去した。王位継承権を持つ者が複数いるなかで、次の王は決まっていなかった。王の死より数年前、リュサンドロスはアテネの軍勢を打ち破り、その武勲は頂点に達していた。王位継承権争いのなか、リュサンドロスはアゲシラオスを推し、かつて弟子であり恋人でもあった男を玉座へと導いたのであった。

B.C.8000　　　　B.C.4000　　　　B.C.1000　　　　A.D.0　　　　A.D.1000

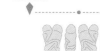

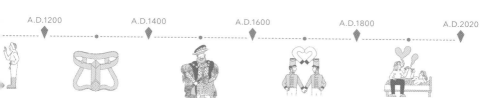

017 哲人ディオゲネス、 マスターベーションを布教する

　ある日のこと、アテネの広場のど真ん中で、哲学者ディオゲネスが自慰をした。自分のためではなく、同じ町に暮らす同胞を思っての行動だった。ディオゲネスは哲学者であると同時に、パフォーマーとして時代を先駆けていた。挑発的な言動を通して、人々に思考を促したのである。

　たとえばある晴れた日のこと、ディオゲネスはランプを持って歩き回った。いったい何をしているのかと問われると、あらかじめ用意していた答えを口にした。
「人を探しているのだ」。
　またあるときは、公衆の面前でレンズマメを食した。これは当時の社会では二重の意味で問題ある行為だった。
　まず古代ギリシア人は、四方を壁に囲まれた空間でしか食事をしない。加えてレンズマメは、貧乏人の食べものとされていたのだ。「深く考えるな。ただ味わうだけのことよ」、ディオゲネスの姿は、そう言っているかのようだった。

　ディオゲネスは、社会的な抑圧や慣習に対してたゆまず牙を剝き続けた。家を捨て、酒樽を住処とし、形骸化しつつも延々と続く数学の議論を蔑み、生涯を通して未婚だった。
「女性は共有すべきだ。結婚には何の価値もない」——そう言いながら、売

B.C.8000　　　　B.C.4000　　　　B.C.1000　　　　A.D.0　　　　A.D.1000

春婦を買うことは拒否していたという。曰く、「売春婦は男からお金を引き出す一方で、男に死と破滅をもたらす」のだそうだ。

　ディオゲネスの言うことには、自慰行為は自由な男性に与えられた唯一の選択肢である。それを彼は、言葉と行動でもって喚起しようとしたのだ。そもそも性衝動とは、空腹や喉の渇きと同じ自然的欲求である。食事をしたり、水を飲んだりするように、その欲求を満たす必要がある、というのが、ディオゲネスの主張だ。

　そんな彼が、公衆の面前でマスターベーションをしたのが、紀元前360年頃のこと。「こんなふうに、腹を擦るだけで空腹を満たすことができればいいのに」と言ったそうな。

B.C. 300

018 旧約聖書の愛の雅歌

　アダムとイブは、猥褻行為を犯した罪により楽園を追放された。神に背いた報いとして、女性は未来永劫「生みの苦しみ」を味わうことになった。

　女性がセックスに愉しみを見出せば、「遊女の装いをした陰険な女」で「騒がしくて、慎みない」と、旧約聖書で罵られる。子を多く生むことを美徳としながら、生殖に必要な行為を「知る」という動詞で濁す。

　旧約聖書の基になったユダヤ教の教典『タナハ』には、快楽にまつわる記述が一切存在しない。エジプトやアッシリア、ギリシアなど近隣に暮らす民が乱飲乱舞の放埒なお祭り騒ぎに明け暮れ（第6章「メソポタミアの男女逆転パレード」参照）、媚薬を調合していた（第9章「古代エジプトの愛のビール」参照）のを尻目に、パレスチナの民は性行為を「人々の生活から排除すべき病」とみなしていたのだ。

　『タナハ』の大部分は、全能にして繊細な心を持つ父なる神の怒りの発現を記している。砂漠のように荒涼とした教典ではあるが、たった1つだけ"オアシス"が存在する。『ソロモンの雅歌』と呼ばれ、紀元前300年頃に最終的な形に整えられた。人類史上最古のテキストに数えられ、性と愛を結び合わせている。

　雅歌は2人の男女——ソロモンとシュラムの女——の会話の形式をとっている。2人は互いに愛を打ち明け、相手の不在を嘆き、再会の喜びに酔い知

B.C.8000　　　　B.C.4000　　　　B.C.1000　　　　　A.D.0　　　　　A.D.1000

れる。

ソロモンは言う。

「あなたの両乳ぶさは、かもしかの二子である２匹の子じかが、ゆりの花の中に草を食べているようだ」（雅歌４‐５）

またあるときは直截的な表現を用いる。

「あなたの臍は、混ぜたぶどう酒を欠くことのない丸い杯のごとく」（雅歌７‐２）

シュラムの女のほうは、受け身に甘んじることなく、己の想いをはっきりと口にする。

「そのくちびるは、ゆりの花のようで、没薬の液をしたたらす」（雅歌５‐13）

「わが愛する者の若人たちの中にあるのは、林の木の中にりんごの木があるかのよう。大きな喜びをもって、彼の陰にすわった。彼の与える実はわたしの口に甘かった」（雅歌２‐３）

この明け透けな愛の歌は、世俗的な愛の詩歌を集めたものの中にあった。ユダヤ教の聖職者たちは厳しい目をもって、『タナハ』を編纂した。にもかかわらず、雅歌を改稿せず、検閲することもなく残しておいたのは、作者が伝説の王ソロモンであることに起因するのだろう（ユダヤの歴史において、ソロモン王は最上の地位にある存在であった）。

改稿も検閲もしない代わりに、宗教指導者たちは、雅歌に描かれた愛とは「世俗的な感情」ではなく、神と選ばれし民との「絆」を記したものである、と主張した。

説得力のある解釈とは言い難い。声には出さないものの、数多の信者たちが、数世紀にわたって同じ疑問を胸に抱いてきたのではなかろうか。

「神と選ばれし民の絆というなら、なぜ、倫理と魂の救いではなく、臍だとか乳房について話すのだろう？」

A.D.1200　　　　A.D.1400　　　　A.D.1600　　　　A.D.1800　　　A.D.2020

「シュラムの女を夢中にさせる、ゆりの花のような唇とは、実際のところ、神の唇なのだろうか？」

「──っていうか、神のキスって、そんなに甘いのか？」

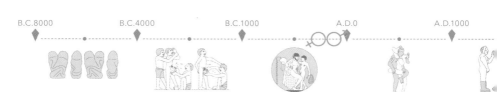

B.C. 100

「蛮族」ケルト人が育んだ
セックスの絆

　ケルト人たちは、男も女も等しく、全身の毛を剃っていた（第3章「古代エジプトのムダ毛処理事情」参照）。柔らかいクッションの上でゆったりと寝そべる古代ローマのスタイルとは異なり、背の低いテーブルに向かって食事をしていた。着るものもローマ人の 服（チュニカ） ではなく、かっちりとした長ズボンだった。

　北の地を訪れた古代ローマ人や古代ギリシア人は、薄暗い森を越えて出会った蛮族の慣習について、驚きを交えながら羊皮紙に書き記した（ちなみに蛮族を意味する「バーバリアン」という単語は、「聞きづらい言葉を話す者」または「わけのわからない言葉を話す者」を意味する「バルバロス」が語源となっている）。

　紀元前約100年の古代ギリシアの哲学者ポセイドニオスは、まるで怒っているような響きを持つケルトの言語を徹底的に研究し、次のように記した。「発育のいい体の女はいるが、男女が互いに関わりを持つことは稀（まれ）だ。女たちはむしろ野性的な衝動に駆られて、男たちと抱き合っているようである。地面に敷いた動物の毛皮の上に横たわり、同衾する相手とあちらへこちらへと転げ回るようにして、事に及ぶ」

　男性同士の性愛が、ケルト人のあいだでどの程度まで一般的だったのかを明記した資料は現存していない。おそらく男色は一種の絆を結ぶ儀式で、戦士集団において互いの団結力を強固にする目的があったのだろう。

A.D.1200　　　A.D.1400　　　A.D.1600　　　A.D.1800　　　A.D.2020

　たとえばガリア地方のケルト人の場合、歴戦の勇士にそれぞれ新人が2名ついていた。勇士が戦地で負傷した際には、この2名の新米戦士が勇士を抱えて運ぶ責務を負っていた。これは推測だが、3人は寝所も共有していたのではないだろうか。

　歴史を紐解くと、男色は軍事に力を注いだ文化圏において特に普及していたようだ。古代ギリシア時代の都市国家スパルタが、その一例である（第16章「スパルタの衆道」、第74章「ホモセクシュアル・マフィア」参照）。まるで長期にわたって殺し合いを続ける男たちが、仲間割れを起こして互いの首を狙うのを予防するために見出された活路が、緊密な肉体関係であったかのようだ。

　先述したポセイドニオスの記録に関して、古代ギリシアの歴史家ディオドロス・シケリオテスは戸惑い混じりに、こう記している。
「彼らケルト人が体面を気にすることなく、まさに男盛りの己が肉体を、他者に自ら進んで差し出し、身を委ねるとは、実に信じ難い。恥辱を感じないどころか、言い寄る相手の好意を撥ねつけることのほうが不名誉なのだそうだ」。

　そもそも地中海地方の人間が衝撃を受けたのは、ケルト人の男性が同じ男性と愛し合うことではない。奴隷や、少年、女のみならず、歴戦の勇士までも性愛対象とされていたことだ。身分・階級や性別に応じた常識的な役割分担がないがゆえに、ケルト人はまことに野蛮な民族とみなされたのだ。

B.C.8000　　　B.C.4000　　　B.C.1000　　　A.D.0　　　A.D.1000

B.C. 4

020 中国皇帝の愛の「袖枕」

　紀元前27年から紀元前1年まで在位していた前漢の哀帝は、官吏の董賢を寵愛し、その体を幾度となく堪能した。激しい愛の格闘技を繰り広げたらしく、性行為が終わると董賢は皇帝の腕の中で眠りに就いたという。

　だが、哀帝は寵臣の温もりをいつまでも堪能するわけにはいかなかった。公務に出なくてはならず、かといって董賢を起こすのも忍びない。そこで皇帝は服からするりと抜け出し、己にしがみつく寵臣の腕から離れた。

　空っぽになった袖の上に、董賢が頭を休めている。この袖を、皇帝は服から躊躇いなく切り落とした。こうして皇帝は袖のない服を身につけて己を待つ大臣たちのもとへと向かい、董賢のほうは高貴な袖枕の上で眠り続けたのであった。

　皇帝の寵愛を受けた董賢は、哀帝から莫大な贈り物を授かった。金、官職、王宮近くの豪邸、いつか皇帝の眠ることになる陵墓のすぐ隣に作られた壮麗な墓所……そう、哀帝は死後も、寵臣を手もとに置きたがったのである。

　董一族もまた皇帝に取り立てられた。董賢自身も齢22にして軍の最高司令官である大司馬に任命された。佞臣たちは董一族の権力に媚びへつらい、皇帝に倣って己の服の袖を切り落とした。片腕は袖があり、片腕には袖のない、この不釣り合いなスタイルは宮廷で流行し、大いなる愛の証となった。

　だが哀帝と董賢の恋物語は、悲劇的な結末を迎える。董賢が賜った恩恵は、人々の妬みを呼び起こした。皇帝は、董賢の昇進を阻もうとする者に降格や

投獄、はたまた死罪を言い渡した。だがそれは、強大な敵が生み出される原因となる。

　哀帝は恋人としては思いやりのある人物であったが、君主としての力に欠けていた。王位を継ぐ子をなすことがなかったため、その権威はやがて瓦解する。哀帝の死後、皇帝一族は互いに王位を巡って争った。董賢は、後宮を主宰する哀帝の祖母によって官職を解かれ、それからまもなく自殺した。

　哀帝の逸話は、中国文化において同性同士の公の交際を毀損するものにはならなかった。ヨーロッパ人が到来し、優れた武器とともにキリスト教や醸造技術がもたらされるなかで、中国にも同性愛嫌悪（ホモフォビア）が入ってきたのだ（第55章「男色の大王フリードリヒの生き様」参照）。だが現代においても「断袖（だんしゅう）」という言葉で男色を指すことがある。

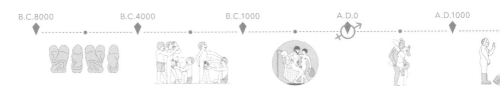

A.D. 2

 021 古代ローマの恋愛指南書

　朝起きたら長風呂をして、常日頃ヘアスタイルや肌の汚れなど、見た目に特別気を遣う男性諸君にとっては、古代ローマで暮らすことは容易ではなかろう。

「鉄の鏝で髪を波立たせて喜ぶようなことをしてはならない。粗い軽石で脛をこすって滑らかにするようなことをしてはならない。男は無頓着なくらいが美しい」。

　これは詩人オウィディウスが『恋の技法』のなかで同性諸氏に宛てた助言である。無頓着なくらいが美しいとは言うが、さりとてまったく身だしなみを整えることなく、愛する者の前に現れるべからず。オウィディウスの言う美しい男性とは、ちゃんと歯を磨き、指の爪を手入れし、肌は健康的に日焼けしており、一部の体毛に関してはちゃんと剃っている者のことだ。

「脇毛を生やし、牧畜主のような悪臭を放つ男になってはいけない」

　西暦2年に出版されたオウィディウスの『恋の技法』は、詩と恋愛指南が1冊の本にまとまった作品だ。紳士的かつ洗練された振る舞いや官能が賛美され、官能的な生活を可能にする大都会が称揚されている。

　都会の住人は、日々の習慣や作法をより洗練させるだけの時間を充分に有している。大都会ローマは、隅々まで照明のいきとどいた舞台だ。見知らぬ者同士が出会い、互いを誘惑しあう劇物語が演じられる。舞台裏には薄暗い一角もあって、そこでは何をしても許される。

A.D.1200	A.D.1400	A.D.1600	A.D.1800	A.D.2020

　また、オウィディウスは何にも増して礼儀に重きを置いていた。「恋人を喜ばせ、助けの手を伸ばす機会を見逃してはならない」。たとえ、恋人が助けを必要としていないとしても。

「よくあることだが、女性の膝の上に偶然塵が舞い落ちたのなら、指で払い取ってやらなければならない。塵が落ちなくても、やはり払いたまえ」。

　女性を褒め称え、贈り物をし、夕食を御馳走し、たまにちょっと涙を流してみせるのが効果的だ。

「涙が流れないこともあろう（機に臨んでいつでも涙が目に浮かぶとは限らない）。そんなときには手を濡らし、目をこすることだ」。

　オウィディウスはまた、女性たちへも多くの助言を記した。

「必要とあらばアルコールや薬物で夫の意識を失わせること」。

「浮気相手に会うには親友の自宅が一番だ」。

「恋人が自分から離れないようにするには、嫉妬に駆られたふりをして顔を引っ掻き、冷たくあしらってみるとよい」。

「幸せな恋愛関係にあるときは、ときに肘鉄砲を食らわせなければならない。男を玄関前に寝させるといい。『ああ、忌々しい戸め』などと嘆かせるのだ」。

「ご婦人方は、己が魅力を演出し、己が弱点を隠すように心得るべし」。

「皆が1つの同じ愛の型にぴたりとはまるわけではないのだ」。

　年配の女性に対しては騎乗位を推奨している。男性が、女性の顔の皺を見て怯むことがないようにするためだ。背中の美しさに自信があれば腹ばいになって事に及ぶのがよい。

　オウィディウスは男性優位主義者でもなければナンパ師でもなかった。男と女という2つの性は対立するものではなく、共に情欲の戯れに興じる相棒

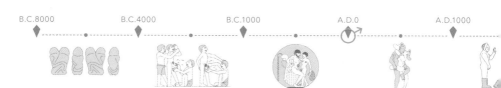

B.C.8000　　　B.C.4000　　　B.C.1000　　　A.D.0　　　A.D.1000

同士とみなしていた。

　ただ無為無策にロマンティックな情熱の昂りを待つのではなく、食欲が湧いたときに自ら率先して行動に出るほうがよい。たとえ眠りたい気持ちが勝っているとしても、パートナーがやる気満々のときは、自らも昂奮したふりをし、喘ぎ声をあげるのが望ましい。そうすれば欲求も高まってくるだろう。

　男女のどちらもがオーガズムに達することが大切だ。
「女性が触れて悦ぶ性感帯を見つけたら、羞恥心などものともせずに触れなさい。その瞳に炎が灯り、揺らぐのを見るだろう。やがてその口から喘ぎが発せられる。だが帆をいっぱいに張らして先へ急ぐあまり、恋人を置き去りにするようなことがないように。共に絶頂へと昇り詰めるのだ！」
　オウィディウスは言う。「惚れた相手にとことん惚れ込みなさい。己の情熱に夢中になりなさい。愛とは大人が嗜む遊戯であり、楽しくて仕方がないこともあれば、深刻な事態に陥ることもある。共に戯れる相手を策に乗せることもあれば、逆に自分が手玉に取られることもある」。

　ところでオウィディウスは、化粧については、人生そのものに関わるものとみなしていたようだ。
「自身を隠すすべを心得た手入れこそが、美しさを引き出させる技となるのだ」。

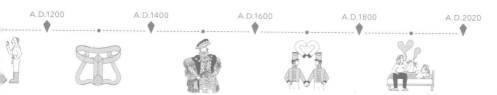

A.D. 14

022 皇帝陛下はクンニがお好き？

　ティベリウス・ユリウス・カエサルがローマ帝国第2代皇帝として戴冠したのは西暦14年のこと。金のかかる豪奢な建物を造らず、堅実な倹約政策を実施したことで知られていると同時に、かなりの好色家としても有名だった。

　歴史家スエトニウスによると、皇帝はカプリ島の別荘で、少年たちを「小魚」と呼んで調教し、自身の股間の周りを泳がせていたという。寝室には乱交部屋を設け、庭園にはニンフやサテュロスを象った大理石像が立っていた。

　現代の我々には国家元首を取り巻く評判としては野蛮なものに感じられるが、当時はスキャンダラスとはみなされていなかった。むしろ、正反対の評価が下されていた。ローマ帝国の国家元首にとって性的な面で高い業績を生むことは、帝国とそれを治める皇帝が共に高い能力を有し、意欲的であることを市民にアピールするための演出だったのだ。

　問題は、皇帝その人の情欲の表し方が極めて特殊であった、ということだ。ティベリウスはローマ貴族の婦女子の性器を舐めるのを好んでいた。ローマの廃墟には、性的に大らかなフレスコ画が残されている（第23章「ポンペイの壁に遺された猥談」参照）。それらを見ると、当時の西洋世界の中心都市では、どんなことも許されていたのではないか、と思うかもしれない。だが、そう単純なことではなかった。

　確かにセックスをしに公衆浴場で落ち合うこともあったし、未成年との性行為はまったくの合法であったし、元老院の会議では政治家が性的嗜好を表

B.C.8000　　　　B.C.4000　　　　B.C.1000　　　　　　A.D.0　　　　　A.D.1000

明しなければならなかった（第92章「クリントン・スキャンダル」参照）。だがその一方で、厳格な原則と法度が存在した。

　この時代には男と女、自由民と奴隷、主人と家臣といった、厳密に定められた役割分担が存在していた。性道徳の観念も、この性別や身分の役割分担に基づいており、愛の遊戯において能動的に攻める側がどちらであるべきかの判断材料となっていたのである。

　主人にはすべてが許されており、能動的に攻める立場であった。妻や売春婦、女奴隷などを相手に膣性交をしながら、一方で稚児や男奴隷を相手に肛門性交することができた。

　ただ、口淫に関しては、どのような位置づけにあったのか定かではない。フェラチオの場合、刺激を受ける側がやや受動的になるため、男性的ではないと考えられていた。だがイラマチオであれば、口の中にペニスを突っ込む能動的行為であるため無難であるといえる。

　ともかく犯されることが必然であった奴隷とは対照的に、自由民の男性を欲求対象とすることは、決して許されていなかったのである。

　ローマ人たちが、女性を口で悦ばせる貴族を何よりも忌まわしいものと考えていたのも、そのためだ。「おまんこ舐めプ※野郎」とでも言えば、この時代では最上級の罵倒になった。男が女の性器を舐める行為は、男女の序列を逆転させるだけではなかった。ローマ人は体液を非常に恐れていたのだ。

　男が女を口で満足させようとするのは、膣から月経の血を飲みたいからだと思われていた。口淫を好むと陰で噂される男が客になった日には、売春婦ですら口づけを拒絶していたほどだ。

　詩人マルティアリスの作品からも、その嫌悪のほどが窺い知れる。その詩のなかで、ナンネイユスなる人物が「動き回る舌を（中略）膨れあがった

※舐めプレイ、の意

A.D.1200　　　　A.D.1400　　　　A.D.1600　　　　A.D.1800　　　　A.D.2020

ヴァギナにずっぷりと突っ込み」、女の腹の中で「子どもが泣き喚くのを聞いた」と嘲っている。

　詩の終わりではナンネイユスの「卑しい部位」、つまり口と舌は「忌まわしい病」により麻痺してしまう。こうして社会秩序は元通りとなった。「喜びたまえ、ヴァギナ諸君、君たちは"奴"から解放されたのだ」——めでたし、めでたし。

　自由民の男で、恋人の陰部に頭を埋める者はいないに等しかった。ただ1人の例外を除いて。そう、ローマ皇帝ティベリウスだ。君主には、いかなる法規制も太刀打ちできない。

　市民たちは、当然のごとく皇帝の嗜好を快くは思っていなかったようだ。円形闘技場の観客席では「あのジジイは女のまんこを舐める」と皇帝を嘲る歌がよく歌われたという。だが、平民たちがいくら噂したところで、皇帝を阻むことなどできようか？

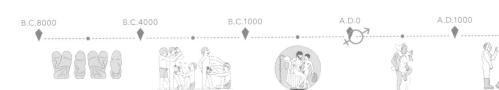

B.C.8000　　　B.C.4000　　　B.C.1000　　　A.D.0　　　A.D.1000

A.D. 79

023　ポンペイの壁に遺された猥談

「これを書く者に、惚れている者がいる。これを読む者は、尻を掘られる。これを聞く者は、好色だ。これの前を通り過ぎる者は、後背位で犯される。熊よ、私を食らうがいい。これを読む私は、巨根の男だ」。

　ローマの廃墟都市ポンペイの壁に残されていた言葉だ。ポンペイの住人たちは、どうやら公共建造物の壁を非電子掲示板(オフライン)とみなしていたらしい。友人へのメッセージやら、詩やら、名言やらが壁面の漆喰(しっくい)に彫り込まれているのが見つかった。

　西暦79年8月24日、ヴェスヴィオ火山が噴火した。火砕流が街になだれ込み、2000人が亡くなり、1万8000人が住むところを失くした。だが街壁や家々は、大災害の後もそのまま遺っていた。冷え固まった火砕流の下で保管され続けた街は、ポンペイの住人が遺したものを現代の我々に伝える。

　18世紀にポンペイを発掘した考古学者たちは、たいそう驚いたという。現代の教科書で描かれる古代ローマは高潔な存在だが、冒頭で紹介したような卑猥な落書きの数々は、そういった高尚なイメージにそぐうものではないからだ。壁には正確な日付や絵も少しだが刻まれていた。

「ケテグス、あいつはいい奴だよ」などと、同じ時代を生きる優れた人物を誉めるだけのときもあれば、「やあ、ノチェーラのプリミゲニア、ちょっとのあいだ君の印章指輪になりたいよ。そしたら君を想って指輪に押し当てたこの唇を、直接君の上に押し当てることができるのに」と恋人に自身の愛を伝えるものもあった。

　なかには、壁の落書きそのものを話題にするものも。

A.D.1200　　　A.D.1400　　　A.D.1600　　　A.D.1800　　　A.D.2020

「おい壁よ、阿呆なことをあれこれ彫り込まれているっていうのに、まだ倒れていないなんて大したもんだよ」。

　火山灰の下からは、モザイク画や彫刻なども良好な保管状態で見つかった。なかには明らかに集団セックスを描いたものもあり、そうした作品を通して、ポンペイが大らかな気風と生きる喜びに満ちた街だったことが読み取れる。

　もしかしたらポンペイ市民たちは、火山がいつ噴火してもおかしくないと考え、人生を謳歌することにしたのかもしれない。己の願望を明け透けに表現したのも、同じ理由なのかもしれない。

　たとえば「レスティトゥータ、服を脱いで、その股間の茂みを見せておくれ」というものだ。身バレを気にしてか、慎重に言葉を残した者もいた。「ひと晩じゅう下宿の女主人と過ごした。正直、これを書きながらビクビクしてる」。慇懃な文体で、こう書く者もあった。「アペレスの同室者のデクストルスが、カエサルと素晴らしい会食をし、素晴らしいセックスをした」。

　こうした壁の落書きは、ポンペイ市民の性に対する自意識をはっきりと映し出している。なかにはガイウス・ユリウス・カエサルの有名な言葉「来た、見た、勝った」をパロディにし、したりげに壁に刻んだ者もいた。

「来た、ヤッた、帰宅った※」。

※帰宅した、の意

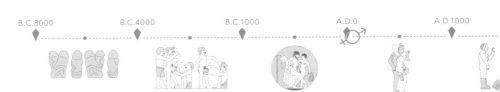

A.D. 100

024 男根の神様

　羊飼いと庭園と果樹園の守護神プリアーポスを祀る神殿は、勃起不全^{インポテンツ}になったローマ人男性たちの治療をおこなう泌尿器科としての役割も担っていた。元々はギリシアのダーダネルス海峡で生まれたプリアーポス信仰だが、わけあってローマへ輸入されたのである。

　プリアーポスという神は、赤黒い巨大な男根と共に描かれるのが常である。ちなみに持続勃起症を意味するプリアピズムという言葉は、この巨根の男神に由来している（第98章「ファイザーが生んだ青色の奇跡」参照）。プリアーポスの知名度がローマで高かったのは、不思議なことではない。

　古代ローマの元老院議員にして文筆家であったペトロニウスが1世紀に執筆した作品『サテュリコン』では、勃起不全の治療の様子が仔細に記述されている。

　主人公エンコルピウスは、お気に入りの稚児や町いちばんの美女キルケとのセックスを泣く泣く諦める事態に陥ってしまった。プリアーポスに仕える女祭司を訪れたところ、女祭司はまず腐って黴の生えた豚の頭でエンコルピウスをもてなした。しかし、これはまだ序盤に過ぎない。
「彼女は革製の男根を持ってくると、香油、胡椒^{こしょう}の粉末を少々と、イラクサの種の粉末を塗り込み、少しずつ私の肛門へ挿し込んでいった。同時に、この残酷きわまりない老婆は、私の太腿にこの溶液を振りかけた。さらにはコショウソウの種とサザンウッドを混ぜ合わせ、私のペニスにしみ込ませ、

A.D.1200　　　　　A.D.1400　　　　　A.D.1600　　　　　A.D.1800　　　　　A.D.2020

ひと束のイラクサを手に摑むと、私の下腹を打ち始めたのであった」。

　エンコルピウスの男根を「角のように」固くしてやろうと言った女祭司の約束が果たされたのか否か、『サテュリコン』には記されていないので読者にはわかりようがない。確かなのは、古代ローマで勃起不全となった男性たちはかくも苦労していた、ということである。
　寝床で男としての能力を発揮できなかった場合、伴侶や恋人との仲に亀裂が生じたり、自意識が傷ついたりするなどの問題を抱えるだけに留まらない。地位の失墜に怯えることになるのだ。
　将軍の凱旋時にはパレード隊が巨大なそそり立つペニスを持って練り歩いたし、魔除けと主人の能力を象徴するものとして、男根を玄関口に彫り込む家庭も多かった時代である。ゆえに、ローマ男性の勃起不全に対する恐怖は並々ならず、己の不能を昔の恋人や自分を恨む恋敵の呪いのせいにしていたのだ。
　危険はあらゆる場所に潜んでいる。夜半に糞便や、（到底ありえそうにないが）もっとひどい場合には、死体を踏んづけるようなことがあれば、男としての能力を失うかもしれない、と考えられていたのである。

　ローマ人が萎えたペニスに抱いた不安は、世界文学の最高峰に見ることができる。オウィディウスほど、心を揺れ動かす誠実な筆致でもって、寝床で不能に陥る様子を描いた作家は、なかなか例がない。『愛の歌』第3巻を見てみよう。
「恥辱に満たされ、私は寝床に自身の重い体をじっと横たえた。彼女は象牙のように美しく、雪よりも白い腕で私の首を抱き、物欲しげに絡ませた舌を喉の奥まで挿し込み、私を主人と呼んだ。だが私の陰茎は惨めなるかな、死

B.C.8000　　　　　B.C.4000　　　　　B.C.1000　　　　　A.D.0　　　　　A.D.1000

んだように横たわり、昨日摘み取った薔薇（ばら）のように萎えていた。すばやく寝床から出た彼女は、私の精液が付着していないことを人に気づかれぬよう、体を洗って、この恥辱を隠すことにする、と言った」。

　こうなるともはや、プリアーポスに祈りを捧げる他ない。

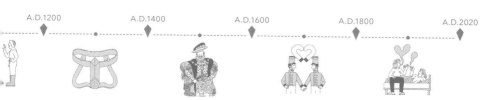

A.D.1200　　A.D.1400　　A.D.1600　　A.D.1800　　A.D.2020

A.D. 200

025 古代ギリシアの美尻コンテスト

　古代ギリシアでは豊穣（ほうじょう）と葡萄酒（ぶどうしゅ）の神ディオニューソスを祝して、毎年ディオニューシア祭が開催されていた。街を練り歩く行進（パレード）や劇の上演に加え、女性たちが美を競い合うのが市民たちの愉しみであった。

　2世紀に開催された、この人類史上最古のミスコンについて作家アルキフロンは以下のように記している。「皆が集まった。新婚ほやほやで、嫉妬混じりの視線を浴びているフィルメーネさえも、夫を眠らせてやってきた。あいにく間に合わなかったが」。

　大いに飲み、大いに食らい、宵の宴（うたげ）は山場を迎えた。「ティリヤリスとミルヒーネの争いが勃発し、どちらのほうが尻をより美しく魅力的に見せられるか競い合うことになった。まずはミルヒーネが腰帯（ほど）を解いた。絹の肌着姿になった彼女が臀部（でんぶ）を揺らすと、観客たちの眼前でその尻が蜂蜜を濃厚に含ませたミルクのように小刻みに震えた。彼女は振り返り、丸みを帯びた尻が動くのを見つめ、今まさに愛の奉仕をしているかのように秘（ひそ）やかな吐息を漏らした。さながら美と性の女神アフロディーテのよう。私は感嘆せずにはいられなかった」。

　ミルヒーネに挑発された対立候補ティリヤリスはというと、服をすべて脱ぎ去った。全身をくまなく晒（さら）してこそ肉体美を審査することができるのだと言わんばかりに。アルキフロンの文体もまた勢いづいてくる。
「ティリヤリスは腰を張って、こう言った。『ごらん、ミルヒーネ、この赤く色づいた艶（つや）やかな双丘を。大きすぎず、痩せこけてもいない。おまけに、え

B.C.8000　　　　B.C.4000　　　　　B.C.1000　　　　　　A.D.0　　　　　A.D.1000

くぼもある』」。

　ミスコンなるものが古代ギリシアで生み出されたのも、何ら不思議なことではない。美と肉体の力強さとは、優れた個性の現れとされていたのだ。オリュンピアの競技大会には、選手たちが全裸で出場していた。神殿に立つ神々の像は、割れた腹筋をしている。ソクラテスのような理知的な人物でさえも、腹まわりの悩みを抱え、走り込みの運動をした。プラトンはレスリング種目で何度か優勝経験があったのだとか、なかったのだとか。

　男であれ女であれ、美の基準の圧力を意識していた。男の場合、細くくびれた腰と平均的な肩幅が美しいとされた。この時代に芽を出した変わり種の学問の分派・美児出生学は、美しい子どもを産むために妊婦が摂るべき食事を研究したものだ。

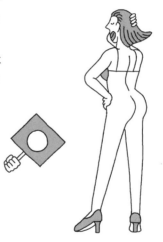

　さて、美尻コンテストのゆくえはどうなったのだろうか？　アルキフロンの記録によると、ティリヤリスが「腰まで使って大胆に尻を振り回すと、観客から大喝采があがった。これによりティリヤリスの勝利が歴然となった。尻の美しさを競う者はこの後も現れ、また胸の美しさを競い合う者もいた」。

A.D.1200　　A.D.1400　　A.D.1600　　A.D.1800　　A.D.2020

A.D. 250

026 教典に見る古代インドのアクロバット体位

　官能と衒学は互いに相容れないと思われがちだが、実はそうではない。性愛を扱った教典に、かの有名なインドの『カーマ・スートラ』がある。

　著者のマッラナーガ・ヴァーツヤーヤナ自身の（性）生活についてはほとんど知られていない。だが正真正銘のオタクで、物事の体系化と一覧や図表の作成に通じていたようだ。

　1万編に及ぶ、創造神プラジャーパティが残したといわれる性愛技巧を、たったの36章にまとめあげることができたのも、各章を要点ごとに体系的に分類することができたのも、著者のオタクならではの強みが発揮されたからに他ならない。たとえば性行為における男性器の扱いは、「穿通」「猪突」「雀の遊戯」などの9つに分類されている。

　著者自身が、ヒンドゥーの4つの「人生の目的」に身を捧げていたことも、周知の事柄である。人は「豊かな人生」と、「徳」を為し、「悟り」を手に入れることを求めながらも、「官能的な欲望」に心を奪われてしまっている。

　カーマは鍛えることができる。「16歳の誕生日を迎えたら、すぐに修練を始めること」、さらには「街の教養ある若者たちと交際すること」を、ヴァーツヤーヤナは読者に勧めている。

　インドは厳しい階級社会で、様々なカーストに分類されている。こうした社会の分類化は、性にも存在する。『カーマ・スートラ』では数学的正確さをもって、すなわち「性器の大きさ」に従って、性行為の相性の組み合わせ

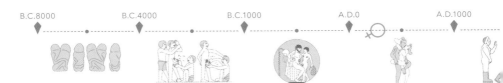

B.C.8000　　　B.C.4000　　　B.C.1000　　　A.D.0　　　A.D.1000

が記載されている。

　男には兎、牛、馬がいる。女は牝鹿、牝馬、牝象のいずれかだ。ナニの小さい兎と、どちらかというと大きなヴァギナの牝象の組み合わせは推奨されない。威勢のよい牛と、華奢な牝鹿の組み合わせは、好ましい。

　著者によると、生理的なサイズの一致だけでなく、性的気性（控えめ、普通、激しい）やオーガズムまでの平均時間（緩慢、普通、性急）などの相性も考慮に入れているという。

　相性診断が芳しくない者同士でも、まだ希望はある。兎と牝馬の組み合わせでも、場合によっては互いに幸せを摑むことができる。『カーマ・スートラ』では64種類の性交体位が紹介されており、「開口」「彎曲」「半圧縮」といったものから「槍の貫通」「鉗子」「蟹」はたまた「蓮華座」なる体位までが記載されている。

　インド社会は家父長制だが、『カーマ・スートラ』では女性の性的欲求もかなり尊重されている。男女どちらも肉体をあれこれと弄ることで、総じて729種類の快楽を味わえるのだそうだ。指の爪で相手の肌を引っ掻く方法も「兎跳び」から「孔雀の足」まで8種類あり、痛みや快楽の喘ぎ（「ヒン」「スート」「プート」「ドゥート」など）も8種類あるという。

　結びには「64種の知識と技能」が紹介され、「これに通じるべし」とある。ここで紹介されているのは、ヨガ教室の最難関クラスに通って体を柔軟にしてもできそうにない性交体位だけではない。興味深いことに、歌、踊り、図画、水上の音楽、手品、料理、謎解き、寝床の支度、若木や花などの図柄の作成など、容易にできる技能もまた挙げられていたのだ。

「秘法」と題された章では、超人的な精力を与えるとされる軟膏、茶、料理などが一覧にされている（第98章「ファイザーが生んだ青色の奇跡」参照）。「美貌、美徳、

A.D.1200　　　A.D.1400　　　A.D.1600　　　A.D.1800　　　A.D.2020

若々しさおよび寛容」を持たざる者は「タガラ草、クシュタ草、ターリーサ草の葉を、人間の頭蓋の中で」調合せよ、とある。これにより、美しい目鼻立ちのある女のように蠱惑的（こわくてき）になれるのだという。

　小さいペニスに悩む兎も、入手困難な樹に棲む虫から取った「刺毛（きす）」を使った塗擦治療を活用することができるだろう。『カーマ・スートラ』によると、この男根肥大は永続的に維持されるという利点がある。対照的に、コキラクシャの実から作られた軟膏を牝象に塗りつけても、その大きなヴァギナが小さくなるのはひと晩だけだ。

　唇を白くしたければ、「白馬の睾丸の汗」7滴を漆（うるし）に混ぜて、唇に塗るといい。焼き菓子を食べることで、男性の精力がより長く持続する。焼き菓子の材料は、甘蔗（しょ）、砂糖を入れた牛乳、溶かしバターだ。

　数多の女性を口説きたい者は、笛の唇管に香辛料を塗りつけて一曲振る舞うといい。

　著者ヴァーツヤーヤナは、絶頂の極みに達することや、セックスで高得点を稼ぐことには、何の重きも置いていなかった。彼の助言に忠実に従う優等生たちが得られるものは別にある。幸福な結婚生活、たくさんの子どもたち、そして長寿だ。

B.C.8000	B.C.4000	B.C.1000	A.D.0	A.D.1000

A.D. 350

027 モザイク画の中のビキニ娘たち

　ここは運動施設。少女2人がボールを投げ合っている。両手にそれぞれ小さいダンベルを持っている娘もいる。運動に勤しんでいる女性たちの姿は他にもある。自己新記録を目指しているのか、円盤投げの練習をする女性もいる。どの女性たちも、紐なしの胸当てと、裾のない下着を身につけている。そして——これは、4世紀の光景なのだ。

　『ビキニの乙女』と名付けられた絵画があるのは、シチリア島の小さな町ピアッツァ・アルメリーナに所在する別荘跡ヴィッラ・ロマーナ・デル・カサーレの中だ。床に描かれたモザイク画の娘たちの姿はさながら、近頃話題のクロスフィットの動画から飛び出してきたような錯覚を与える。

　ローマの女性たちは、ストロフィウムと呼ばれる胸当てを着用することで乳房を固定し、少しだけ小さく見えるようにしていた。当時は平らな胸と大きな臀部が、理想の美しさとされていたのだ。

　1世紀のローマを生きた詩人マルティアリスは、その詩のなかでストロフィウムに「我が恋人の大きく膨らんだ乳房を、押して小さくしてくれ」るよう懇願した。そうすれば片手で、恋人の乳房を包み込むことができるからだ。

　しかし、モザイク画の娘たちの身に着けるショートパンツに関しては、謎に包まれたままだ。当時の女性たちは日常では裾の長いドレスを着用していたし、下着は一般的ではなかった。だが、革製の女性用パンティが発掘された遺跡も存在する。これは両脇のベルトで調整することができ、色とりどり

A.D.1200　　　　A.D.1400　　　　A.D.1600　　　　A.D.1800　　　　A.D.2020

の生地で装飾されたものだった。

　古代でビキニの果たした機能については、2つの説がある（尚、「ビキニ」
という名称は、1946年にフランスのデザイナー、ルイ・レアールがつけた
ものである）。

　1つは、運動用のストロフィウムとパンツだったという説だ。つまり自由
闊達（かったつ）に運動ができるようにと、本当にスポーツウエアとして使われていた、
というのだ。床に描かれたモザイク画はちょっとしたフィットネス案内書で、
カサーレ荘に滞在する娘たちに定期的に合同で運動するよう促し、さらには
円盤の正しい投げ方を説明するためのものだった。

　もう1つの説は、ビキニ姿の娘たちが実は性的娯楽に携わる者たちで、演芸（レビュー）を
披露しているとするものだ。その筋書きに従えば、運動道具はいずれも小道具に
過ぎず、娘たちの身につける装いも、服としての本来の役割を果たすものではな
く、限界まで肌の露出を増やして蠱惑的な演出をするためのものと理解できる。

　レアールより1600年も前にビキニを生み出した古代のファッションデザ
イナーが何を意図していたにせよ、その彼または彼女が、女性の肉体を愛（め）で
る者であったことは疑いない。

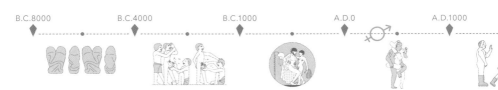

A.D. 380

028　世界最古の下ネタジョーク

　ギリシアに発祥の起源を辿るのはマラソンだけではない。無限に続く数字パイ（π）も、ミスコンもそうだ（第25章「古代ギリシアの美尻コンテスト」参照）。そして実はもう1つ、ギリシアに由来するものがある。「猥談」だ。

　現存する最古のジョーク集は、4世紀に作られたと思われる『フィロゲロス：ギリシア笑話集』だ。そこには265編のジョークが収められている。
　1つ例を出してみよう。
「おしゃべり好きの理髪師が客に尋ねた。『本日はどのようにお切りしましょう？』。客の男が答えた。『黙って切ってくれ……！』」
『フィロゲロス』に収められたジョークのほとんどは、酔っ払いや、ケチな男の話だが、セックスにまつわるものも多い。
「出不精な息子が、父に尋ねた。『5リットルの甕には、どれくらい水を入れられるの？』」
　このジョークに、古代ローマ人たちは大爆笑した。「出不精な」人間とは、学はあるが部屋に閉じこもってばかりで、神経質で細事にうるさい者とされていたのだ。また「甕」は、当時の言葉で男性器のことも意味していた。
『フィロゲロス』には、とてつもなく大きな葡萄酒甕が幾度となく登場する。ジョークの多くは男性視点のものだ。だからといって登場する女性たちが、受動的な性的対象に留まっているわけでもない。
「男がひとり帰宅し、妻に聞いた。『おまえ、どうしようか？　食事にするか？

それとも愛を育もうか？』。妻が答えた。『お好きにどうぞ。パンはもうない
よ』」

　これは勃起不全を扱ったジョークだ。男が妻の不貞を危惧する様子や、性
的に満たされない妻のよいところと悪いところを描いている。

『フィロゲロス』の作者は、性愛というものをよく理解していたようだ。セッ
クスや愛を扱うジョークを笑い飛ばすことができる者は、性愛から生まれる
混沌とした感情の渦に耐え、物事を楽しむことができよう。
「ある男が、別の男に秘かに漏らした。『君の妻と、ただで寝たんだよ』。こ
う聞かされた男は答えた。『今や私は、この大いなる不幸に耐えることを強
いられている。だが君は……誰に強いられたのだ？』」

B.C.8000　　　　B.C.4000　　　　B.C.1000　　　　A.D.0　　　　A.D.1000

A.D. 500

029 古代ペルーのポルノ土器

　王がゆったりと椅子に坐している。顎をわずかに持ちあげて、半ば開いた両眼は何も映していないかのようだ。頭には冠をかぶり、口もとには笑みが浮かんでいる。機嫌はすこぶるよさそうだ。足もとに 跪 く女使用人によるものだろう。女は両手を優しく王の太腿に添え……その口は、王のモノを咥えている。

　現在のペルーの北部海岸地域にモチェの民が暮らし、結婚生活を送っていたのは400〜600年頃のことである。特筆すべきは、彼らの遺した工芸品だ。陶磁器を使って、性的モチーフを象っているのだ。いわゆる「ポルノ土器」と呼ばれるもので、男性、女性、動物あるいは伝説上の生き物が性交や自慰、口淫をしている様子が象られている。

　国立トルヒーヨ大学の考古学博物館には、先述の女使用人に口淫されている王の像が展示されている。この女使用人の陶器の頭は、なんと動く仕掛けになっている。この像は1998年に発見されたことから「クリントン」と名付けられた（第92章「クリントン・スキャンダル」参照）。

　他に、跪き、背後から挿入される女の姿を象った土器もあった。女は頭と胸を床の上に寄せ、背筋は高く伸ばされ、陰唇がよく見えるようにと両手で尻の双丘を横へ引いている。とりわけ陰核へと入念に視線を引き寄せるようにしている（第73章「フロイト監修オーガズム研究」参照）。

　こうしたポルノ土器の目的は、定かにはなっていない。豊穣の儀式で何か

A.D.1200　　　A.D.1400　　　A.D.1600　　　A.D.1800　　　A.D.2020

しらの役割を担っていたのか。それとも、現代の大人たちが「蜜蜂」と「花」を使って説明するように、この陶磁器を使って生殖行為について（そして、陰核がどこにあるのかを）若者たちに教示していたのだろうか。

肛門性交を描いた陶磁器も多く見つかっているが、モチェの民は生殖管理の目的でこれを導入したのだろうか？　なかには女と骸骨が性交しているものもあるが、これは性行為をし過ぎないようにとの警告だったのだろうか？

性を暗い側面から見る向きは、モチェ文化では決して優勢ではなかった。単純に職人たちが作品にユーモアを込め過ぎただけなのだ。

飲用容器を例に挙げると、巨大な陰唇や、途方もなく大きなペニスの亀頭に飲み口のついた意匠のものが多くある。口淫の真似事をしなければ、チチャ（トウモロコシを発酵させて造られた酒）のひと口で口を潤すこともできなかった、ということだ。

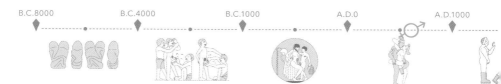

A.D. 595

030 女性の善き理解者ムハンマド

"彼"は、月明かりに照らされるなかを女性と2人きりで歩くのが好きだった。会話は弾み、駆けっこをして戯れる。駆けっこでは、いつも女性を勝たせた。

イスラム教は今日(こんにち)、世界の大半から女性敵視の宗教とみなされている。だが預言者ムハンマドは、理想の夫そのものだった。570年頃メッカに生まれたムハンマドは、10人、一説では12人の女性を妻に迎え、アラブ初期における結婚生活の生きた模範となった。

25歳のときに、14歳年上のハディージャ・ビント・フワイリドと結婚。このときハディージャは交易商として成功を収めていた。このような婚姻は、7世紀のアラブ世界では珍しいことではなかった。ハディージャのほうはムハンマドの前に2度結婚をしていたが、これも当時としては稀ではない。しかも、2人の前夫との結婚は同時におこなわれていたのだ(つまり一妻多夫が一般的であった)。

ムハンマドとハディージャは共に商売で成功を収め、互いに幸せな結婚生活を送っていたようだ。死が2人を分かつまでの25年間、ムハンマドは妻に対して貞操を守った。また、ムハンマドとのあいだに子をなしたのは、ハディージャだけだった。

40歳の頃、ムハンマドは岩山の洞窟で神の啓示を受け、イスラム教を興した。この新しい宗教の最初の信者になったのはハディージャであった。

A.D.1200　　A.D.1400　　A.D.1600　　A.D.1800　　A.D.2020

預言者として彼に与えられた使命は、社会に明快な規則を授けることだった。男女関係もまた、ムハンマドの手によって新たに秩序立てられた。

『コーラン』には、夫婦に関する章句が多く含まれている。女性には夫を選ぶ権利がある。結婚は両者が望むことで、初めて成立する。夫が不能となった場合、あるいは夫が妻を打った場合には、妻は夫のもとを去ることができる。セックスとは、信仰を成す要素の1つであり、神からの贈り物なのだ。

　信者たちは信仰上の助言に加え、日常的なこと、性生活に関わることをムハンマドに尋ねた。1つの問答を例にとってみよう。

「獣のように妻に襲いかかってはならない。2人のあいだには『使者』を立たせるのだ」。

　ムハンマドがこう言うと、野次を飛ばす者があった。「神の使徒さんよ、その『使者』って奴は何者だい？」

　するとムハンマドは答えた。「口づけと、甘い言葉だ」。

　ムハンマドは、夫婦が共にオーガズムに達することで2人の愛が長く続くものと考えていた。前戯が下手くそで、寝床で女を満足させることができない男は、頭を抱えるほど無能なのだと言う。「己の欲求を満たしても、女が満たされないうちは立ちあがるな」。

　ハディージャの死後、預言者ムハンマドは生涯の愛を見つけ出した。アーイシャ・ビント・アブー・バクル、ムハンマドの友人の娘である。3番目の妻として迎えられたとき、彼女はまだ6歳であった（これには諸説があり、6〜10歳まで文献によって年齢が異なっている）。

　ムハンマドとアーイシャは互いに離れられないほど親密になった。アーイシャは夫と同じ容器から水を飲み、夫が戦いに出るときも輿に乗って付き従った。夫がひとり旅に出れば、代理人の役を果たした。後に裁判官、教師、

B.C.8000　　　　B.C.4000　　　　B.C.1000　　　　　A.D.0　　　　A.D.1000

宗教指導者となったアーイシャは、イスラム法を学ぶ最初の学校を設立した。

　文献によると、アーイシャはブラック・ユーモアを解し、激しい気性を持ち、ラクダに乗ることに大きな喜びを感じる人物だったという。また一方で、体重増加の悩みを抱えていたそうだ。

　結婚生活を始めて数年が経ったある日、かつてのように妻と駆けっこをしたいと言ったムハンマドに、アーイシャは「以前より多くの肉が体についてしまっている」と答えた。「アラーの使徒よ、こんな有り様で、どうやってあなたと駆けっこをするというのでしょう？」

　だが結局、夫と駆けっこをした。負けだった。「あの頃のようだね！」。妻に呼びかけるムハンマドの声で、アーイシャは、かつては自分がよく勝っていたことを思い出したという。

　人生と愛を楽にするものは愛嬌とユーモアであると、ムハンマドは知っていたのだ。

「人生と愛、この2つをときにおふざけや戯れを交えながら大いに楽しむ、これこそが、女性が好むものなのだ」。

A.D.1200　　　A.D.1400　　　A.D.1600　　　A.D.1800　　　A.D.2020

A.D. 800

 カール大帝と美しきロミジュリ物語

　アインハルトという男は、アーヘンに構えるカール大帝の宮廷で重宝されていた。博学多識な学術書を執筆し、宮廷に仕える後進を育てる教育所を運営し、橋や城塞、教会などを建て、やがては大帝の顧問として重用された。

　フランク王国の民は、アインハルトを慕っていた。とりわけ大帝の娘エマは、彼を恋い慕っていた。アインハルトもまた、彼女の気持ちに応えた。

　しかし小貴族の生まれである彼と、王女とでは身分が釣り合わない。しかも王女はビザンツ帝国皇位継承者と婚約中の身だ。愛し合う2人にとって、状況は芳しくはなかった。

　だが障害の立ちはだかる恋にありがちなことだが、禁断の愛を育む2人は互いの想いを抑えるどころか、激しく燃え立たせ、ついにはすべてを情愛の炎に飲み込ませてしまう。

　ある春の夜のこと、アインハルトは「愛を語るために」エマのもとを訪れた。まだヒバリも鳴かない朝のうちに人目を忍んで立ち去ろうとしたところ、夜に降った雪が積もり、足跡ひとつない真っ白な地面が中庭に広がっているのに気がついた。これでは否が応でもアインハルトの足跡だと気づかれてしまう。そうなると、エマとの禁断の情事も露見してしまう。

「だが恋によって大胆になっていた美しき娘が、一計を案じた。娘は己の逞しい肩にアインハルトを担ぐと、日の昇らぬうちに中庭を横切り、彼を部屋まで運んだ」

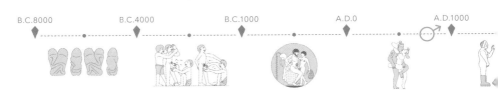

エマの足跡が中庭に残ることは、何も不思議なことではない。宮廷人に2人の関係を疑われる可能性も低くて済む。

フランク王国版ロミオとジュリエットともいうべきこの話は、『ロルシュ・コデックス』と呼ばれる年代記に掲載されている。12世紀にライン川中流のロルシュという町に住む修道士たちによって記されたものだ。

アインハルト伝説がどの程度の真実を含んでいたかについては、定かではない。フランク王国宮廷には「アインハルト」「エマ」という名前の人物が実在してはいたが、実際のエマは大帝の愛娘ではなく、ただの親戚だったようだ。

そもそも『ロルシュ・コデックス』とは恋愛物語を綴ったものではなく、政治宣伝を目的としたものだった。ロルシュの修道士たちがアインハルトとエマの物語に触れたのは、修道院を貪欲な貴族たちから守ったカール大帝の寛大な御心を世に知らせるためであった。

エマが恋人を背負って雪道を歩いたその晩、大帝は眠りに就くことができず、窓の外を見やった。すると中庭の珍妙な光景が目に飛び込んできたではないか。アインハルトを問い詰めたところ、彼は娘エマへの恋心を打ち明けた。

顧問を死刑に処することもできたが、大帝は沈思黙考した上で、部下を祝福し、ビザンツ帝国皇位継承者とエマの婚約を破棄させた。想いを遂げ、幸せを阻む障害が失せたことを知った王女の顔には、「朱を注いだように紅色が差した」のであった。

A.D.1200　　　　A.D.1400　　　　A.D.1600　　　　A.D.1800　　　　A.D.2020

A.D. 855

032 天使様はセックスをご所望？

　フランス貴族ジェロー・ド・オーリヤックは、男なら誰もが夢に見るすべてを手に入れた男だった。オーヴェルニュ地方に城を持ち、何千人もの家臣を従え、ブドウ畑、リンゴ農園、牧羊地を所有していた。そして美しい貴族の妻、オーリヤック伯爵夫人アーダルトゥルーデの存在──。

　そう、これが問題なのだ。貴族たる者、己が系譜を途絶えさせぬよう嫡出の跡継ぎをなさねばならない。子をなすためには妻と……ところが神よ、オーリヤックは子作りの作法を想像だにしたくない、と言うのです。

　中世前期において、肉欲には悪い印象がつきまとっていた。生殖目的の性行為ですら、きな臭いものとされていたのである。人々が性に対して極端なほど抑圧的な態度でいたのは、中世前期のヨーロッパが修道院の圧政下にあったことが一因に挙げられる。

　修道士たちは教養や文化を独占するに飽き足らず、森を開墾し、街や通りを造り、農村社会を形成した。聖職者が社会の中心を占めていたために、貞潔かつ禁欲的な生活が市民の模範とされるようになった。

　他方、ヨーロッパ大陸での宣教活動がようやく落ち着いたものの、異端文化の影響は未だ残っていた。祭事や日常生活で、性が持つ役割はまだまだ大きかったのだ。性交・欲望・恍惚、これらは原始の無法な魔術に属するものとされ、危険視されたのである。

　当時好評を博し、人の口から口へと伝えられた物語や伝説には、敬虔な金

B.C.8000　　B.C.4000　　B.C.1000　　A.D.0　　A.D.1000

髪の乙女がよく登場する。乙女たちは誘惑に屈することなく、正しい道を歩むのだ。

　6世紀に好評を博した作品のなかに、信仰の厚い助祭が悪魔にしつこく攻めたてられる話がある。この憐れな男の暮らす小屋は、悪魔によって幾度も壊されてしまう。やがて、力ずくでは修道士の信仰心を失わせることができないと察した悪魔は、作戦を変え、男を誘惑することにした。

　悪魔は2人の裸の娘に姿を変じると、男を寝床へおびき寄せようとした。

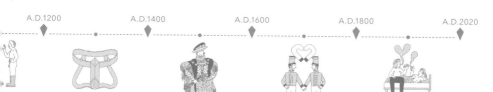

A.D.1200　　A.D.1400　　A.D.1600　　A.D.1800　　A.D.2020

だが修道士は誘惑に抗う。悪魔は怒りに駆られ、この勇敢にして敬虔な男を激しく殴ると、そのまま消えてしまった。徳と善なる力の大勝利であった。

ジェロー・ド・オーリヤックの話に戻ろう。彼は聖職者ではない。系譜を残すという義務を課せられた貴族なのだ。言い伝えによると、ある晩に天使がオーリヤックのもとを訪れ、妻のアーダルトゥルーデを身籠らせよ、と厳しく諭した。子どもは後世まで名を残す修道院を建てることになるだろう。すぐにでも世に生まれねばならぬ。

オーリヤックは、己の運命に従うことにした。ベネディクト派クリュニー修道院長オドーの遺した年代記によると、オーリヤックに息子が生まれたのは855年のことだという。天使の予言は真実となった。オーリヤックの息子は、後世に名の残る修道院を設立した。オーリヤックという都市の聖ジェロー修道院である。

オーリヤックの息子自身は修道士ではなかったのだが、父が果たせなかった夢を実現させた。つまり生涯を通じて、汚れを知らぬ身であったのだ。死より6年前に、オーリヤックの息子・ジェロー2世は失明した。今日でも、聖ジェローは独身男性と身体障碍者の守護聖人とされている。

A.D. 922

奔放気ままな
ヴァイキングの性生活

　中世前期、ヴァイキングは決してよい印象を持たれているとは言い難かった。8世紀末、ヨーロッパ全土がノース人の脅威に怯え、苛まれた。シュパイヤー、パリ、ビザンツが包囲され、略奪、強盗、殺人の被害を受けた。だがヴァイキングの武力や残虐性以上に、当時の人々が衝撃を受けたのが、彼らの放埒な性生活であった。

　バグダッドのカリフより派遣された使節団の1人、イブン・ファドラーンは、922年にヴォルガの地でヴァイキングの一団に遭遇した。ヴァイキングたちはちょうど首領を葬っているところであった。戦士たちが己の悲嘆を表に出すことはなかった。弔いの儀は10日にわたり、にぎやかに執りおこなわれた。酒に、脂っこい食事に、音楽と公開セックス。

　ファドラーンは、以下のように記している。

「戦士一人ひとりに腰を休める椅子が用意されていた。その傍には、商人たちに引き渡すことになっている美しい奴隷娘たちが控えていた。仲間たちが見ているなか、戦士たちは奴隷娘と性交をした」

　これより150年の後、聖職者にして歴史家のアダム・フォン・ブレーメンもまた、類似事例を報告している。

「デーン人は、女性に配慮して行動を慎むということをしない。それぞれが能力に応じて2人から3人の妻を持つが、裕福な者や首領などは、多数の女性を妻にする」。

A.D.1200　　　A.D.1400　　　A.D.1600　　　A.D.1800　　　A.D.2020

　フランク王国では、多妻のことを「デーン人風の結婚」と呼んだ。スカンジナヴィアの戦士たちは、略奪をおこなわないのは良しとしても、一夫一妻制という生活様式はお気に召さなかった。

　ヴァイキング時代の逸話には、平和を乱す「禁断の夜這い」という表現が多く見つかる。定期的に年頃の娘のもとに「通う」独身男性がいたとして、その娘を妻に迎える準備を何もせずにいると、ついには娘の一族の怒りを買うことになる。

　ゆくゆくは結婚という港に行き着いたとしても、ノース人の男性たちは女奴隷や女中たちとも同衾するのが常である。アイスランドの法では、男性が「女奴隷と肉体的快楽を」得ることは公的に許されていた。

　ヴァイキングの女性には男性ほどの権利は与えられていなかった。だが男たちは、恋人の機嫌をとろうと手を尽くしていたようである。毎日髪を梳かし、毎週土曜日には水浴びをしていた。年代史家ジョン・オブ・ウォリングフォードが苦言を呈したことには、「デーン人たちは滑稽なほど綺麗好き」であったのだそうだ。

B.C.8000　　　　B.C.4000　　　　B.C.1000　　　　A.D.0　　　　A.D.1000

A.D. 1000

034 イカす司祭のイケる本

　カトリック教会にとっては悩ましいことだろうが、性玩具（ディルド）の装着に関する人類史上最古の記述は、驚くことなかれ、人気聖職者の羽根ペンによって綴られたものなのである。

　ドイツの街ヴォルムスの司祭ブルカルトが、いわゆる告解の秘跡における実践教本を著したのは1000年のこと。告解席での気まずい沈黙を避けるため、「憐れなる罪人（つみびと）に司祭が問いかけるとよい質問」が掲載されている。

　一例を挙げてみよう。

　「己が欲望に応じて、男の性器を模した道具や器具を使って女がするようなことを、あなたはしたことがあるか？　性玩具を恥部などに固定し、妻以外の女と姦淫（かんいん）をしたことはあるか？　婦人のほうが、かような性玩具を用いて、あなたと姦淫をしなかったか？」

　中世前期、教会は性との戦いを主な使命としていた。欲望は人間を罪へと誘う。アダムとイブが、いちばんの例だ。進歩的な神学解釈をおこなったトマス・アクィナスさえも、性は生殖に直結する場合のみを良しとした。口淫、肛門性交（アナルセックス）、月経中の女性との性交は禁じられ、同様に「獣のような」あるいは「性欲を高める」特定の体位――いわゆる後背位、現代風にいえばバック――もまた禁忌とされた。

　司祭たちは説教壇に立ち、性欲から解放された生を得るための戦いを遂行した。彼らの戦いが告解席でも繰り広げられたのは、言うまでもないことだ

A.D.1200　　　A.D.1400　　　A.D.1600　　　A.D.1800　　　A.D.2020

ろう。文献を読む限りでは、当時告解席で殺人だとか、神への冒瀆、十戒の違反などが俎上に載せられることはわずかだったという。つまり司祭は、たった1つの話題、それだけに耳を傾けていたのだ。

　ブルカルト司祭が認めた贖罪目録には、性的欲求による罪がポルノ作品もかくやという筆致で描かれている。先述の性玩具の装着に関しては「決められた日に断食を」5年間おこなうことで罪を贖うべし、とある。

　ブルカルト司祭はまた、女性同士の性愛行為についても言及している。「肉欲に苛まれた女が、欲求を鎮めるためにする行為を、あなたもしたことがあるか？　女たちは、あたかも性交することが許されていると言わんばかりに、互いの体を繋ぎ、互いの性器を擦り合わせ、その欲情を鎮めようとするのだ。このような行為に及んだ場合には、3年間四旬節の決められた日に贖罪をしなくてはならない」。

　ほかにもある。

「女たちがするように、荷役用の家畜の下に身を横たえ、あれこれ手を尽くして昂奮させた家畜とまぐわうようなことはあったか？　このような過ちを犯した場合には、次の四旬節を水とパンだけで過ごし、その次の7年を贖罪して過ごさなくてはならない。だがその後も、罪を贖い続けることになるだろう」。

　わからないのは、ブルカルト司祭が女性の性行為について詳細な知識をどこで入手したのか、だ。罪に絶望し、地獄を恐れた女が、己の過ちを告白したのだろうか？　それとも司祭自身の生々しい想像の所産なのだろうか？

　性と罪深い欲求に対して必死に戦い続けた教会だったが、どうも本末転倒という他ない。ブルカルト司祭の手による贖罪本は、一種のセックス教本に

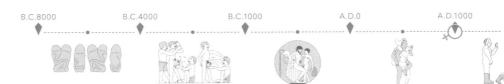

なってしまった。聴聞司祭が本のなかに記された詳細な質問を実際に口にし
ようものなら、罪のない子羊たちにまで穢れた思考を植えつけてしまいかね
ない。

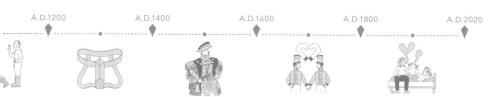

A.D.1200　　A.D.1400　　A.D.1600　　A.D.1800　　A.D.2020

A.D. 1069

 # 035 神聖ローマ帝国の離婚騒動

　神聖ローマ帝国皇帝ハインリヒ4世は、時の教皇と権力闘争を繰り広げた末に、1077年にカノッサ城で教皇に赦免と破門の解除を請い願った「カノッサの屈辱」で知られる人物である。この皇帝、どうやら妻のベルタ・フォン・サヴォイエンとも悩ましい関係にあったらしい。

　年代史家ブルーノ・フォン・マクデブルクの記録によると、ハインリヒ4世は妻を一瞥することすら我慢ならなかった、という。
「美しくも高貴な奥方ベルタの嫌われ方たるや、王は婚礼式後に自らの意思で奥方を見やることが決してなかったほどだ。そもそも結婚自体が、王の自由な意思で執りおこなわれたものではないのだ」。

　王や皇帝の地位にある者は、美しい宮殿に暮らし、輿にゆったりと座って移動をする。だが一方では、因習だとか政治権力、宮廷儀礼といったものに縛られているのだ。ハインリヒ4世は、自身の感情や欲求が何の意味も為さないことを幼少期に学んでいたはずである。

　1056年に父王が逝去し、6歳だったハインリヒが跡を継いで戴冠し、その母アグネスが摂政に就いた。だが有力な諸侯や高級官吏たちの多くは、国家の頂点に立つ女性摂政に不信を抱いていた。

　ハインリヒは11歳のとき、ケルン大司教によって誘拐される。大司教の目的は、皇帝の教育を引き継ぐこと、その人生の諸々の決定権を掌中に収めることだった。まだ10代の少年皇帝には、自身の妻を選ぶことも許されな

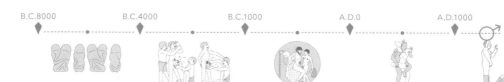

B.C.8000　　B.C.4000　　B.C.1000　　A.D.0　　A.D.1000

かった。1066年ヴュルツブルクの地で、ハインリヒ4世はベルタと婚姻関係を結んだ。

　このような経緯を考えると、皇帝がいつしか、己が人生に勝手な決定を下す外部勢力に抵抗するようになるのも不思議なことではない。

　婚礼式から3年後、ハインリヒ4世は離婚を求めた。それも稀有なやり口で。「王は、奥方との仲が良好ではないと、諸侯の前で公然と口にした。奥方には、離縁を正当化できるほどの非はない。だが、王自身が夫婦生活を続けることをできないのだ、と言う」。マクデブルクの記録には、そう記されている。

　ハインリヒ4世は、離縁の次第をよくよく心得ていたようだ。「王は、離縁を喜んで受け入れるよう奥方に請うた。さすれば互いが互いに、より幸福な結婚に至る道を開くことができる、と。また純潔の喪失が次の婚姻の妨げになるとの異議を唱えるには能わない。なぜならば奥方の体は迎えられた頃と変わらず、無垢で穢れのない処女のままであると、王はみなの前で誓ったのである」。

　11世紀のヨーロッパでは、体制側を納得させるだけの理由を申し述べた場合には離婚が認められていた。たとえば妻の不妊、系譜継続の危機などである。ところがハインリヒ4世の言い分は、妻に性的魅力を感じないので、他の女性を口説かせてほしい、というものだ。そんな理由で時の教皇が、結婚の誓いの解消を許すわけがなかった。

　一方で皇帝の性生活は、醜聞にまみれ続ける。マクデブルクが憤慨を交えて綴ったところによると、皇帝は「同時に2、3人の妾を持ちながら、なおも満足していなかった」。皇帝の奔放かつ度を越した性生活の噂のすべてが真実に即したものなのかは、定かではない。誹謗目的で拡散されたものも少

A.D.1200　　　A.D.1400　　　A.D.1600　　　A.D.1800　　　A.D.2020

なくないだろう。

だがハインリヒ4世という男が決して清らかな人間ではなかったことは確かで、どうも危険な精力剤にも再三手を出していたらしい。

その精力剤の名は、スパニッシュフライ。バイアグラの前身ともいえる存在で（第98章「ファイザーが生んだ青色の奇跡」参照）、外敵から身を守るため神経毒カンタリジンを体内に生成するツチハンミョウ科の甲虫だ。この虫を乾燥させ、粉末に磨り潰したものを摂取すると、男性の尿道が刺激され、ペニスを勃起させる。だが過剰に摂取すると、勃起が収まらず痛みに苛まれ、肝機能障害や腎不全などの副作用が生じる恐れがある。

ハインリヒ4世が、夫婦の義務を果たすために精力剤を使用したかどうかは不明だ。だが皇帝は年月をかけてベルタとうまくやっていったのだろう。皇帝夫妻のあいだには5人の子どもができた。ベルタはカノッサ城へ向かう過酷な旅にも同行し、夫ハインリヒの傍を離れなかった。

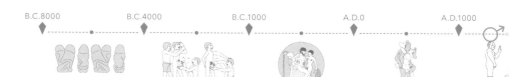

A.D. 1100

 036 北極圏の夫婦交換

　はてしなく氷床の広がる北極地で生き残るには、寒さを凌ぐだけでは物足りない。孤独にも耐えねばならないのだ。

　アラスカのイヌイットが、グリーンランドに入植し、トゥーレ文化を築いたのは1100年頃のこと。元々は40人にも満たないほどの小コミュニティが、それぞれ離れて存在していた。各コミュニティの周辺100キロにあるのは、氷床と雪原だけ。あとは熊や鯨、アザラシがいるくらいで、それらを捕獲して暮らしていた。

　隔絶された環境によって、イヌイットの存続の危機が現実味を帯び始める。小さな共同体のなかでセックスのお相手を見つけていたので、やがて全住民が互いに親類になるのは必然の結果であった。

　住民たちも、近親相姦を犯す危険性があることは充分に理解していたのだろう。そこで彼らは、なかなか興味深い生存戦略を生み出す。イヌイット語でいう「Areodjarekput」、すなわち「数日間の妻の交換」である。

　年に一度、村の住民たちは犬ゾリと小舟に乗って最寄りの村まで遠出した。最寄りといっても2週間かかる距離だ。だが、それだけの旅をする意味があった。村人同士が交換するのは、アザラシの毛皮や道具だけではない。そう、妻もだ。

　妻交換の儀式は、村を治めるシャーマンが見守るなかで執りおこなわれた。シャーマン、イヌイット語の「Angakkoq（アンガコック）」が取りしきる儀

A.D.1200　　　A.D.1400　　　A.D.1600　　　A.D.1800　　　A.D.2020

式は「ランプ消し遊戯」と呼ばれた。各村人の家には客人が割り振られ、男女の組み合わせが新たにできあがる。全員が白熊の毛皮に横たわったところで、アンガコックが各家を回り、ランプの灯を消すのだ。

　イヌイットに私有財産だとか身分差という概念がなかったとしても、彼らが備えた"器"のいかに大きくて深いことか。「ランプ消し遊戯」から9か月後、生まれた子どもには、隣村の男に妻を貸し出した主人の名が与えられた。

B.C.8000　　　　B.C.4000　　　　B.C.1000　　　　A.D.0　　　　A.D.1000

A.D. 1150

037 修道女のオーガズム講座

「42歳7か月のとき、稲妻を放つ火のような光が天から降りてきた。すると私は突然、聖書や詩篇、福音書、そのほか新約聖書に収められた書簡の意味をはっきりと理解したのであった」。

ベネディクト派ルペルトベルク女子修道院長ヒルデガルト・フォン・ビンゲンは、全能なる神と対話し、その力を感じたときの様子を、恍惚とした文章で書き綴った。

神の幻視を体験した彼女だったが、当初は己の人生を変える意思はなかった。だが「それも神の罰が下り、病床に臥すまでのことだった。苦痛をこらえながら、ついに私は文字を認め始めたのである」。

それから数年をかけて、ヒルデガルトは数多くの著作を記し、とりわけ神・悪魔・人間の三角関係の破綻について分析をした。また1150年から1160年にかけて執筆された博物学教本『病因と治療』『医学と自然学』のなかでは、たとえば食物繊維が人間の腸にもたらす効能が研究されたほか、首の痛みを訴える患者にネズミの死骸を肩甲骨に挟んで横たわることを推奨する箇所もある。

だが目を見張るべきはもう1つ別にある。キリスト教勢力が性的欲求を忌み嫌う真っただ中にあって、女性の性欲を情感たっぷりに記したことだ。

ヒルデガルトによると、女は12歳になると「いやらしい想像」をしては「官能の潮」を吹くという。だが男の射精行為に比べれば、パンをひと口齧っ

A.D.1200 　 A.D.1400 　 A.D.1600 　 A.D.1800 　 A.D.2020

た程度のものに過ぎない。女性の性的欲求が衰えるのは70歳を過ぎてから。それまでは寝床でたっぷりとお楽しみを味わえる、とヒルデガルトは断言している。

「女が男と1つになるとき、脳のなかにある快感を伴った熱が、この結合で生み出される快感の味を予感し、知らせるのだ。同時に女の腎臓が収縮し、月経のあいだは開かんとしていた器官のすべてが固く閉ざされる。その固さたるや、屈強な男が片手で何かを握りしめているかのようだ」。

ヒルデガルトの手によって、女性のオーガズムが初めて詳細に記述された。だが性的な昂奮状態の具を、修道女の彼女がどうして知り得たのか。それは定かではない。

イエス・キリストと契りを結んだ身でありながら、実は純潔ではなかったのか？　それとも女性たちの語る体験から聞き知ったのか？　名の通った神秘家のヒルデガルトの周りには、常に女性たちが取り巻いていた。ヒルデガルトの言うことに熱心に耳を傾ける取り巻きたちならば、どんな質問にも答えたことだろう。

ともかくカトリック教会は、修道女ヒルデガルトが性の予備知識を披露したことを悪く捉えてはいなかったらしい。2012年、時の教皇ベネディクト16世は、ヒルデガルトを聖人の列に加えた。

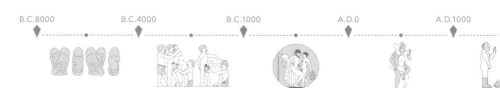

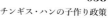

A.D. 1227

038　チンギス・ハンの子作り政策

「チンギス・ハンの始祖は、上天より命運をもって生まれた蒼き狼である。その妻は、白き牝鹿であった」。

　13世紀の歴史書『元朝秘史』はそう記し、モンゴル民族の偉大な息子を讃えた。事実、「蒼き狼」と「白き牝鹿」の子孫は世界を変えるほどの類い稀な逸材であった。

　テムジン（タタール語で「鉄を作る者」、すなわち鍛冶屋を意味するチンギス・ハンの幼名）が生まれたとされるのは1162年のこと。1206年から1227年にかけてモンゴル皇帝（大ハン）の地位に就いた彼は、軍の戦略に変革をもたらし、自ら騎馬軍を率いて数で圧倒する敵を打ち倒したのであった。

　また、モンゴルを部族社会から厳しい統制のもとに管理された軍階級社会へと変容させ、文字を導入した。その巨大帝国は最大時には、朝鮮半島や中国のみならず、ハンガリーやポーランド、太平洋からドナウ川に至るまで勢力を拡大した。

　だがチンギス・ハンは、世界史に名を刻んだだけではない。その遺伝子が世界中に残されているのだ。モンゴル初代皇帝は、『元朝秘史』にあるように、「両眼に火を」宿しているわけではなかったろうが、かなり熱い男ではあったようだ。

　ペルシアの歴史家アラーウッディーン・アターマリク・ジュヴァイニーは、

A.D.1200　　　　A.D.1400　　　　A.D.1600　　　　A.D.1800　　　　A.D.2020

初代皇帝の逝去からまもない頃のモンゴルを視察のため訪れた。出立前からすでに、チンギス・ハンが子だくさんだったことは耳にしていたようだ。だが、モンゴルを訪れた彼が見たものは、想像をはるかに超えていた。

「今現在、贅沢に裕福な暮らしを営む者の数は2万人を超えている。これ以上は何も言うまい。万事を誇張し、仰々しく書き綴ったと咎められるのも、1人の男の下半身から吐き出された種が、ほんの短期間でこれだけ大勢の子孫に繋がることがどうして可能か、などと問われるのも面倒だ」。

2万人というのは、確かに少々盛ってはいるだろう。だがチンギス・ハンが数百人の子を作ったことは事実であるらしい。そして数百人の子が、それぞれ子孫をなしていった。

遺伝子検査の結果、現代に生きるチンギス・ハン直系男性の数は1600万人にのぼるという。多くはモンゴルに暮らす者たちだが、中国やロシアにも分布している。

絶大な力を誇る大ハンが、女性たちをその意に反して抱いたことは想像に難くない。大ハンの前に、奴隷や捕虜の女性が連れ出されることは多かった。絶えず他国と戦を交えていたため、奴隷と捕虜には不足がなかったのだ。だが、性への渇望と傍若無人な振る舞いが、命取りになったのかもしれない。

1227年、チンギス・ハンは西夏との戦の陣中で亡くなった。死因は解明されていない。落馬し、内出血で不慮の死を遂げた、という説がある。だが死後まもなく、大ハンは西夏の王女に殺された、という噂が流れた。凌 辱されそうになった王女が抵抗して、大ハンの男性器を切り落としたというのだ。『元朝秘史』は、美辞麗句を交えた自由な筆致でチンギス・ハンの生涯を綴っているが、その死に関しては、意図的に自制した文体でもって、ただ一文を添えている。

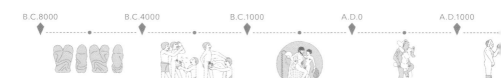

B.C.8000　　　B.C.4000　　　B.C.1000　　　A.D.0　　　A.D.1000

「亥の年、チンギス・ハンは天に昇った」。

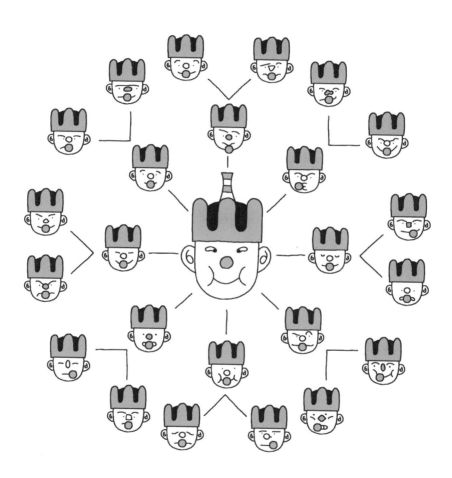

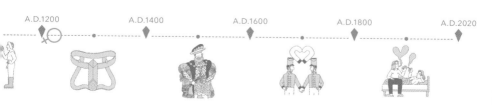

A.D.1200　　A.D.1400　　A.D.1600　　A.D.1800　　A.D.2020

A.D. 1265

039

マルコ・ポーロ、
性の無秩序に狼狽する

　1265年、17歳のヴェネツィアの青年マルコ・ポーロは、父と叔父と共に旅立ち、中央アジアを越えて中国へと至った。かの国の南西部でマルコはモソという——彼の言葉で言うなら——一風変わった民族に出会った。東方見聞録にはこう記されている。

「この地方の男は、異国の者が自分の妻や姉妹、娘と共に家の中に足を踏み入れてもいやらしいと思うどころか、それを良しとする。異人の来訪によって神々が祝福され、その返礼に富を賜る、と考えているからである。異国の者は、この憐れな牡牛の女たちと数日間褥（しとね）を共にし、享楽に耽る」。

　長らく瀘沽湖（ルーゴー）の湖畔に暮らしているモソは、世界でも珍しい母系社会を築いている。モソの娘は13歳になると、花楼（ホウロウ）と呼ばれる部屋を与えられる。その部屋には扉が2つある。1つは家の中庭、つまり家族の空間へと通じ、もう1つは外の通りへ通じている。

　女性は、自分で男性を選び、花楼に招き入れる。ひと晩で複数の男を迎えることもあれば、特定の恋人を招く場合もある。決まりは、ただ1つ。夜の客人は、日の出とともに立ち去ること。

　モソは、結婚をしない。夫とか妻といった概念が存在しない代わりに、一時的な性の相手を「阿注（アチュ）」、こうした相手の選び方を「走婚（セセ）」と呼ぶ（セセは「共に連れ立って歩く」を意味する言葉）。

　モソの女性は子を授かっても、父親が誰であるかを知る必要がない。子ど

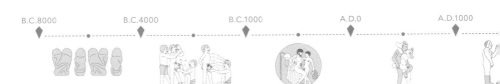

B.C.8000　　　B.C.4000　　　B.C.1000　　　A.D.0　　　A.D.1000

もの教育を大家族、つまり母や兄弟姉妹とで分担しておこなうからだ。とはいえ、モソの母は子どもたちの父親を知っていることが常である。

　旅行家マルコ・ポーロは、中世の家父長制の社会で生まれ育った。そんな彼にとっては、モソの家庭は性的に無秩序にあったも同然で、狼狽のあまり、モソの振る舞いが迷信によるものだ、と思い込んでしまったのだろう。そうでなければ、同情すべき「憐れな牡牛」ことモソの男性が、妻や姉妹、娘たちに、性の相手を自分で選ばせることなどありえようか？　他に理由づけなどできようがあるまい。

　モソのところに行けば、誰でも好きなだけ性行為ができた。誰と何をしたかを、つらつらと語る者もいなかった。性行為は快感をもたらすが、人生を左右するほどのものではなかった。気軽におこなうものだった。

　マルコ・ポーロの生まれ育った暗黒の血なまぐさい世界と、モソとの決定的な違いがもう1つある。モソは、競争だとか嫉妬、悪意、所有欲、暴力といったものの存在しない、天国のような共同体を築いていたのだ。そもそも、そういう言葉を口にしない──モソの言葉には「強奪」「殺人」「戦」といった単語が存在しなかったのだ。

　かつてマルコ・ポーロが衝撃を受けた社会は、現在も瀘沽湖の湖畔に存在する。

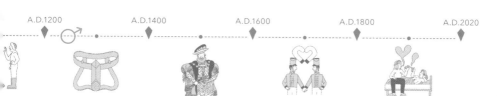

A.D. 1353

040 フィレンツェのエロティック百物語

　フィレンツェに住むマゼットは若く、美しく、逞しい青年だったが、残念なことに無職だった。女子修道院の庭師の職に志願した彼は、耳が聞こえず、口のきけないふりをした。障碍者を装うことで、無害だが援助の必要な人間であるように見せよう、というのが狙いだった。

　作戦は功を奏し、マゼットは職を得た。すると8人の修道女たちは、口がきけぬのであれば密告される恐れもないと、マゼットを寝床に招いて享楽に興じるようになった。さらには修道院長までもマゼットを部屋に呼び込み、数日の後にようやく解放したという。

　ついにマゼットはある日、気を失ったときに奇跡が起こって、耳が聞こえるようになり、言葉を取り戻した、と告げることにした。

「院長さま、聞いた話では、鶏の場合は10羽の雌に対して雄が1羽いれば事足りるそうです。ですが人間の場合は10人の男性がかりでも、1人の女性をほとんど、いえ、まったく満足させることができないといいます。ところが私は、この修道院に勤める9人の女性に奉仕しなければならないのです」

　これを聞いた修道女たちは愕然（がくぜん）とし、醜聞が外部に漏れることを恐れ、マゼットを修道院の管理人に任じた。その後マゼットはのんびり気楽に仕事をし、修道女たちへの夜のご奉仕も立派につとめ、一生を終えたという。

　ジョヴァンニ・ボッカッチョが物語集『デカメロン』を執筆したのは、1351年から1353年のこと。ペストから逃れるため、フィレンツェ郊外の別

B.C.8000　　　　B.C.4000　　　　B.C.1000　　　　A.D.0　　　　A.D.1000

荘にやってきた7人の女と3人の男が暇つぶしに、それぞれ10日で10話ずつ語る、というのが大枠のあらすじだ。彼らの語る100の物語のなかに、幸運なマゼットの話も含まれている。

　蒸し暑い空気に包まれたなか、性の場面が生々しく描写される。不倫の話、自由な性関係の話、卑猥な恋……それに性に貪欲な女性たちの話が展開する。

　また、日常に活用できるヒント、浮気に役立つ兵站術（へいたん）なるものまで提供されている。

　たとえば、愛人を隠すときは衣装簞笥（だんす）よりも、大きな空樽が望ましい。空樽はどの家にも転がっているものだ。夫が思いがけなく帰ってきたら、古い酒樽の買い手がようやく見つかった、今ちょうど中を確認してもらっているところだ、と話すのだ。そうしたら愛人が樽から這い出て、樽の内側が汚れている、などと苦情を言う。

　こうなると夫のほうは、樽の中に入って、内側を徹底的に削って磨く他なくなる。妻は樽の縁越しに夫に指示を送りながらも、もう一度愛人の相手をつとめる余裕があった。
「愛人は妻の背後から身体を密着させると、草原を走る奔放で盛りのついた牡馬がパルティア産の牝馬にのしかかるようにして、その若い欲望を満たした。それと同じくして、妻の指示もやんだ。夫が樽を削り終えたからだ」。

　『デカメロン』を執筆するにあたり、ボッカッチョはペストを巡る自身の経験も多少手を加えて書き綴った。1350年のフィレンツェでは、ペストが猛威を振るっており、全住人10万人の半数以上が命を奪われた。ボッカッチョの父も、その1人であった。

　当時としては新鮮な文体で綴られた物語集を読むと、楽しんでこそ人生だということを、実感させられる。ボッカッチョの名言を紹介しよう。

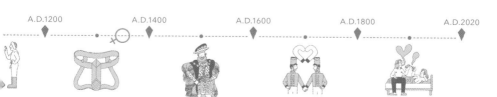

A.D.1200　　　A.D.1400　　　A.D.1600　　　A.D.1800　　　A.D.2020

「やって後悔するほうが、やらないで後悔するよりもずっとましだ」。

A.D. 1400

041 アステカ人の不滅の性欲

「あの巻き毛の男、本当に喋れるんだ！ あなたは喋れる？ 巻き毛を解く努力をしなさいよ！」

アステカの若い娘たちが、同世代の魅力を感じない男に浴びせた罵倒である。巻き毛とは、戦争で捕虜をつかまえたことのない男たちだけが持つ、不名誉の証であった。

修道士ベルナルディーノ・デ・サアグンの手によって1560年に完成されたものの出版されることのなかった『ヌエバ・エスパーニャ概史』は、アステカ文化を取り扱った学術書であり、先述の口汚い罵り文句も紹介されている。

アステカは、14世紀から16世紀にメキシコ中央部で栄えた。女性たちは強くて大胆不敵な男性に魅力を感じ、思慮分別があろうが負け犬には興味を示さなかった。

「臭い巻き毛、あんた実はあたしと同じ女じゃないの？ あんたの糞も、まだこの辺に残ってるんじゃない？」

アステカには残酷なイメージがある。捕虜は宗教儀式の際、神官たちの手によって鋭い黒曜石のナイフで殺された。神々の怒りを血によって鎮めるためである。また、近隣の文化とは異なり（第29章「古代ペルーのポルノ土器」参照）、性的な文化的遺物が残されていないのだ。

だが実際のところ、戦争や暴力的な宗教儀式だけがアステカ人の関心の対象であったわけではない。彼らは、自由で自立的な性生活を送っていた。恋愛結婚は、決して珍しくはなかった。1人目の子どもが生まれるまでは男女

A.D.1200　　　A.D.1400　　　A.D.1600　　　A.D.1800　　　A.D.2020

がお試しで同棲（どうせい）し、出産後に関係を解消することが許されていた。

　4年ごとに、子どもたちを社会に迎え入れるための祭事が執りおこなわれ、その酒宴は非常な盛り上がりを見せた。サアグンは、こう綴っている。「誰もが、一端の大人までもが酔っ払っていた。顔を真っ赤にして、騒ぎ立て、ひいひい言いながら、重なり合い、転げ回っていた」。

　アステカでは、女性には高い敬意が払われていた。新生児が目を開くと、産婆が鬨（とき）の声をあげた。当時アステカ人にとって出産とは、母による激しい血みどろの戦いだったのだ（子どもという特別な捕虜を得て、戦いは終結する）。女性たちは男性から口説かれても、嫌ならはっきり自信を持って断っていたし、彼女たちもまた強い性欲を持つことを許されていた。高齢になってもだ。

　伝えられるところによると、アステカ王は、2人の年配女性が若い神官と性交中のところに出くわした。王は尋ねた。「ねえ、おばあさん！　まだ俗世のものを望むというのですか？　お年を召しているというのに、熱は冷めないのですか？」

　女性たちは答えた。「あんたたち男はね、性欲がなくなって、精も出し尽くしたら、もうおしまい、欲望なんてもう残っちゃいないさ。だがいいかい、あたしたち女には性欲があるんだよ！　あたしたちには穴が、深淵（しんえん）があってね、そいつがひたすら贈り物を待っているんだよ。あんたがもう不能なら、あんたにもう種がないのなら、あんたはいったい何の役に立つというんだい？」

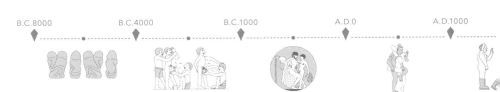

| B.C.8000 | B.C.4000 | B.C.1000 | A.D.0 | A.D.1000 |

A.D. 1405

042 貞操帯発明の舞台裏

　バイエルンの軍事工学者コンラッド・カイザーは、イタリアの傭兵部隊で数年を過ごし、1384年からはハンガリー王ジギスムント率いる十字軍に参加し、オスマン帝国との戦いの渦中にいた。1405年には武器庫や戦場で目にしたものの図解を豊富に載せた写本を編纂した。

　『ベリフォルティス』（戦闘力という意味）は、戦争に関する図鑑として他に抜きん出ている。兵器や拷問器具の図解に加え、鋼鉄製の下着の模写が掲載されているのだ。この鋼鉄製の下着に、カイザーは以下の注釈を添えている。「頑丈な鉄の下着、前側を閉めることができる。フィレンツェの女性が着用するもの」。

　この鋼鉄製の下着は、中世で人気を博した。神学者たちは「貞操帯」の使用を推奨した。自身の「肉体」に綱をつけていないと、どんな事態が起こるか自覚していたのだ。また騎士にも評判がよかった。彼らは自分たちが十字軍の遠征に出てイスラム教徒と戦い、自身の罪に打ち勝たんと足掻いている最中に、残された妻が兵役を免れた男や馬丁などと夜を共にすることを懸念していたのだ。大遠征に旅立つ前に、妻の臀部や股間を鉄素材で覆い、誰彼構わずの同衾を阻むことができるのは便利ではないか。この器具の鍵は夫である自分が常に携えて、紛失せぬように留意しておけばよい。現代でも錆びついたこの器具を、「フィレンツェの性具」とか「フィレンツェ・ガードル」という名で展示している博物館は多い。

　ただ1つ、問題がある。実を言うと、中世には貞操帯なるものは実在しな

A.D.1200　　　　A.D.1400　　　　A.D.1600　　　　A.D.1800　　　　A.D.2020

かったのだ。中世に貞操帯が発明されたという話は、主に抑圧の時代19世紀に流布された。十字軍の遠征で夫の不在の間、数か月、ともすれば数年も女性たちはどうやって貞操帯を身につけ続けていられたのだろうと疑問に思う者はいなかったらしい。そもそも憐れむべき女城主たちは鋼鉄の貞操帯を身につけた状態で用を足せたのかなどと、野暮だが、当然の疑問を思いついていれば、そんな話が怪しいと気がついてもよさそうなものだ。

　歴史資料として蒐集された貞操帯は、模造品とされている。中世期の史料に書かれていることを文字通りに受け取ってしまったことが、根本的な誤りであった。聖ベルナルド修道院長教会博士をはじめとした神学者たちが「貞操の帯」と呼んだのは、隠喩表現に過ぎない。カイザーの著作も、よくよく読んでみてほしい。妻が不貞を働いているのではと不安や嫉妬を募らせる男たちを揶揄しているのだ。

　カイザーは想像力豊かで、ユーモアのある男だった。一見すれば真面目な著作にも、アレクサンダー大王が魔術師であったなどと書かれているし、伝説の英雄ジークフリートが用いたとされる「魔法の隠れ蓑」や、「おなら大砲」なるものが紹介されている。

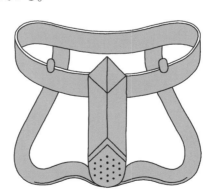

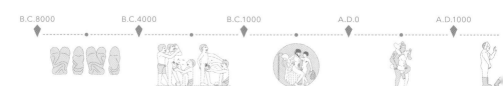

A.D. 1450

043 ルネッサンス期の男性能力値

　マルティン・ルターは食事を好み、飲酒を嗜み、肉体的な愛を支持した。敵対するカトリック教会の聖職者たちとは異なり、ルターは自身の嗜好を隠そうとはしなかった。それどころか夫婦が互いに体を重ねる頻度について、次のような経験則を導き出した。「週に2回が、妻には適当、夫は充足、これで年間104回」。

　どうやらルターは、1517年にヴィッテンベルク城教会に『95か条の論題』を掲示し、宗教改革を巻き起こしたわりに、性生活のほうは当時の人々に比べると控えめだったらしい。当時人々がよく口にしていた格言から、男性たちには旺盛な性欲に応えることが求められていたことが窺える。ひと晩につき、「1回はお嬢さん向けの前菜、2回は紳士の作法、3回は貴族の責務、4回は女性の権利」なのだそうだ。

　ルネッサンス期、ヨーロッパでは古典古代の遺産への関心が芽生えていた（第23章「ポンペイの壁に遺された猥談」参照）。ドーリア式の柱頭や哲学的思考実験のみに留まらず、性やエロスへの関心も次第に高まっていた（古代ギリシアや古代ローマの文献を研究すれば、自ずとそうなるだろう）。

　この頃、新郎新婦の地位や財産のみを重視する中世の婚姻体系も揺らぎ始めていた。恋愛結婚は依然として例外中の例外ではあったが、可能性の1つとして意識にのぼることはあったのだ。伴侶を魅力的と感じる理由はいったい何なのか、人々は疑問を持つようになる。民謡や大衆小説は通俗的な生き方を伝える媒体となり、人の願望が言葉で表現され、新しい美の基準が打ち

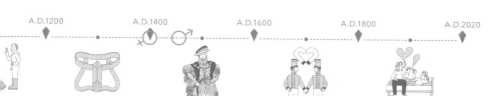

A.D.1200　　A.D.1400　　A.D.1600　　A.D.1800　　A.D.2020

立てられた。

　女性は若く、肉づきよく、赤く色づいた肌をしているのが好ましい。男性の肌色や肥満度合が話題にのぼることは稀だった。だからといって男性たちが、一定基準を満たさなくても夜のお相手から何も言われなかったわけではない。女性たちは悲しいかな、「腹を空かせたまま愛の食卓を離れる」羽目になりがちであった。

　うら若い娘と年老いた男の結婚は、頻繁に冗談の種となった。夫のほうが、すぐに「愛の戯れに飽き飽きし」て、夫婦のつとめを疎かにするというものだ。イタリアのアントニオ・コルナツァーノの作品に『干草が足りないなら、大麦の藁がある』という小噺がある。夫に放置された花嫁の母が、娘にふさわしい男性を探すべく困難な旅に出る話だ。母が選んだのは風采のいい青年で、財産はないが、「ひと晩で少なくとも10回は愛のパンを平らげる」という噂だった。ベッドでの能力は──短いお話のなかでは──身分や財産より重要だったようだ。

　アウクスブルクの写本師クララ・ヘッツレリンもまた性欲の強い女性で、誰かのために借用書や遺言状を記すことは決してなかった一方で、理想の男性に関しては短く、次のように記した。「食卓では貴族のように、戦場では熊のように、街を行くときは孔雀のように、教会では子羊のように、そしてベッドの中では猿のようであれ！」

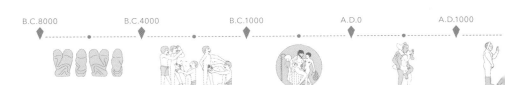

A.D. 1519

044 アラビア文学の男と女

「神にかけて断言する。この書の知識は、真に知る必要のあるものである。恥知らずの無知蒙昧の輩、あらゆる学問を否定する者のみが、本書を読まぬか、読んでも一笑に付すのである」。

これは『匂える園』の序文からの引用だ。一見すれば著者マホメッド・エル・ネフザウィによる露骨な自己喧伝文だが、その言い分は全面的に正当である。性愛教本ともいえる本書は1519年頃チュニスで刊行されたといわれている。解説や手引きの文章に続いて物語や暗示的な逸話が挿入されており、読者が楽しめる構造となっている。

ネフザウィは、美男美女の際立っている点について考察を巡らせている。「女が男たちの目に魅力的に映るためには、申し分なく美しい肉体を持っていること、ふっくらと肉感的」な「恰幅のいい女性」でなくてはならない。二重顎や、少し突き出た腹、肉づきのよい尻などが、特に刺激的な魅力を持つ。また黒い瞳、黒い髪、広い額と華奢な足も魅力を掻き立てる。こうした特徴をすべて備えた女性がいるならば、「魔法をかけられたように魅入られてしまう。後ろから見つめるだけで、歓喜のあまり昇天してしまう」。

一方で男性に関しては、ネフザウィは目の色や額の形などを多く語ってはいない。その代わりに詳細に綴られているのが、均整のとれた男性器の形状である。ペニスは「大きくて長さのある立派な」もので、「女の秘部の奥深くまで届き、その中を満たす」のが望ましい。長さは「指6本分、手のひら1.5倍分の長さ」（約12センチ）から「長くても指12本分、手のひら3倍分」（約

A.D.1200　　　A.D.1400　　　A.D.1600　　　A.D.1800　　　A.D.2020

24センチ）が理想だとする。

「短く細い四肢の妻が、大きな男根を切望しているとき」、いかにして寝床で悦ばせればよいのか？　指6本分よりも短いペニスをお持ちの男性読者に対し、ネフザウィが勧めているのは、卵をできる限り多く食べ、瀝青を塗った革紐を自身の小さな部位に巻きつけることだ。「この措置の効果のほどについては、すでに定評がある。余も実証済みである」。

　ネフザウィが、性交を愛好していたことは間違いない。「男にこの上なき喜悦を与えるべく女の秘所を創り、女に至高の悦楽を与えるべく男の陰茎を定めたもう神を讃えるべきかな」。それだけに一層、神からの授かりものを損なわないことが重要であったのだ。愛の戯れを始めるにあたって、男は睾丸がちゃんと張り詰めており、胃が空でないことを確認しなければならない。さもなければ力尽きてしまうからだ。

　またネフザウィは、じっくりと前戯をすることも重視していた。「ちょっとした戯れや、接吻や抱擁、吸いついたり嚙みついたりすることで、女は体のあちこちが刺激され、感じるのだ」という。女のほうが辛抱堪らなくなってようやく、男は自身を挿入してもよいのだ。行為を終えたら、ぬくぬくと互いを温めるように女の体を抱きしめよ、と『匂える園』の作者は言う。ただ、いかなる理由があってのことかはわからないが、男は常に寝床の右側に横たわるべしとのことだ。

A.D. 1537

ドイツの「公衆浴場」

　ケルンの市参事会員の息子ヘルマン・フォン・ヴァインスベルクは、大学入学資格試験を控えた19歳の頃に、男であることを証明し、「トライン・ヘルティルネなる女性で童貞を」失った。彼は2500ページになる自伝『青年期の書』のなかで、ワインをしたたかに飲み、友人たちに説き伏せられて売春宿を訪れたときのことを綴っている。

　ライン川沿いの故郷、カトリック教会ケルン大司教区で売春宿が労なく見つかったと悪びれずに書き記したヘルマンの自伝からは、キリスト教や支配階層が望んだ身持ちのいい生活が16世紀の社会で営まれているわけではなかったらしいことが窺える。欲求を満たすために人が注ぐ気力や想像力は増してきており、表の世界のすぐ横に、薄暗く、どことなく赤みを帯びた光の灯された花街が存在するのが常であった。

　現代社会にサウナと風俗サウナがあるように、この時代にも抜歯をしたり、瀉血や吸い玉療法などを提供したりする公衆浴場と、女性たちがご奉仕をする「公衆浴場」とがあった。後者は、艶めかしく湿り気のある想像と夢の産物といえる。芸術家の手によって、きわどい場面を描いた銅版画やフレスコ画が飾られている。活気、ワイン、女、賽子賭博……血を滾らせるのに、これ以上何を求めるというのか。

　売春の制度化は、社会的に見て大きな進歩であった。従来は「浮浪娼婦」が村から村へと渡り歩いていたが、売春婦たちは一所に落ち着けるようになったことで、以前よりも多くの権利が与えられ、社会的に認められるよう

になった。ハンザ都市リューベックでは、16世紀の納税者リストに商人や職人と共に、当たり前に売春婦の名前が記されていた。バイエルンの都市ネルトリンゲンでは、売春婦たちが市参事会に「公衆浴場」の経営者による搾取と暴力を訴えた。経営者は有罪宣告を受け、罰金を科されることとなった。

ヘルマンは自伝のなかで、生涯のうち、あと4、5回ほど「酔いのうちに」売春宿へ足を運んだが、それ以降は自堕落な生活をきっぱりと断ったと打ち明けている。ヘルマンは、参事会員になり、ビール純粋令の遵守を監督する役目を担うようになる。「フランス疱瘡」（淋病）や「ヒスパニック病」（梅毒）に感染しなかったことを神に感謝し、その後の人生は品行方正に過ごしたという。曰く、「売春婦たちから距離を取るよう努めたからこそ、疾病を患うことなくこれた」とか。

B.C.8000　　　B.C.4000　　　B.C.1000　　　A.D.0　　　A.D.1000

A.D. 1537

ヘンリー8世と股間カバー

　ドイツ・ルネサンスの画家ハンス・ホルバイン（子）が1536年から1537年の頃に描きあげたヘンリー8世の肖像画には、目を見張るものがある。鮮やかな色使いや、美しい筆遣いのことだけを言っているのではない。テューダー朝のイングランド王は毛皮の飾り縁のついた帽子をかぶり、片手に短剣を握っている。そして、大きな股間の膨らみが裾の隙間から顔を上げているのが目に留まる。

　宮廷画家だったホルバインによる肖像は、史上最大の見栄っ張りを映し出した作品といえる。そう、コッドピースと呼ばれる史上最大の見栄っ張りな装身具をつけ、その中を詰め物でいっぱいにすることで、股間の大きさを強調させているのである。

　16世紀初頭、ヨーロッパでは男性服の流行に変化が生じた。それまでの膝丈の上着から、ストッキングの前身ともいうべきショースや、尻が隠れるほどの長さしかないプールポワンへと服の傾向が移行していった。

　股上には、詰め物のされた三角形の襠——コッドピースを装着した——が入れられていた。詰め物には馬毛や藁が好まれていたが、なかにはオレンジを詰め込んだ男性もいた。折あらば女性に差し上げようという魂胆だったのだ——股間にぶら下がる3つの果物ごと。

　コッドピースは一世を風靡し、この潮流に乗ろうと市場競争が発生した。カラフルなものや、様々な大きさのコッドピースが開発された。やがて騎士の身につける甲冑にも「股間保護材」が加わるようになる。歴戦の勇士た

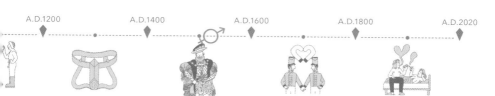

A.D.1200　　A.D.1400　　A.D.1600　　A.D.1800　　A.D.2020

ちの股の付け根から突き出たコッドピースが、第2の槍のごとく敵に対峙した。なかにはコッドピースに頭部の装飾をつけて、亀頭を擬人化させた奇抜な造形のものもあった（第2章「ペニスの顔をした女神」参照）。

　元々コッドピースは医療器具で、梅毒患者の股間に水銀軟膏を塗り、包帯を巻き、その上から押さえて固定するために使用されていたのだが、そんな起源説は現代人には何の意味もないことだ。ルネサンス期の流行作コッドピースを身につけていれば股間は膨らんだままなので、男としての能力が疑われていようとも、そんな懸念なんぞ吹き飛んでしまう。

　ヘンリー8世もまた、筋金入りの大酒飲みだったがゆえにマラリアと天然痘を患い、勃起不全に苦しんでいた。6人いた妃のうち2番目の妃だったアン・ブーリンは、夫には「ヴェルチュ（徳）」と「ピュイサンス（力）」が欠けていると不平を漏らしたそうだ。ヘンリー8世が男としての徳を持ち合わせていなかったのは、国民の目から見ても明らかだ。なにせ男児に恵まれなかったのだから。

　最初の妃キャサリン・オブ・アラゴンとのあいだには娘を1人授かったのみ。それを理由に1533年に離縁するも、時の教皇の同意がなかなか得られなかったため、聖公会を設立した（第35章「神聖ローマ帝国の離婚騒動」参照）。その後、侍女だったアン・ブーリンを娶るも、やはり授かったのは娘が1人だけだった。アン・ブーリンを斬首の刑に処すと、その侍女を務めていたジェーン・シーモアを妻に迎える。ヘンリー8世は、3番目の王妃とのあいだに男児をもうけるべく励んだ。股間から3本目の足を突き出した国王の肖像をホルバインが描いたのは、この頃のことだ。同じ1537年に、ジェーン・シーモアは息子を生むが、彼女はまもなくして死んでしまう。

　コッドピースは、16世紀末には姿を消す。着用したまま馬に乗って移動すると、尋常ではない痛みに苛まれるというのが主たる要因であった。

B.C.8000　　　B.C.4000　　　B.C.1000　　　A.D.0　　　A.D.1000

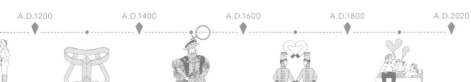

A.D.1200   A.D.1400   A.D.1600   A.D.1800   A.D.2020

A.D. 1574

047 女性悪臭プンプン説

「男は『生まれつき微かに甘い』匂いであるのに対し、女は湿り気のある腐った不快な匂いを発している」。

オランダの医師レヴィナス・レムニウスが1574年に発表し、数か国語に訳されるほど売れ行きの伸びた医学書『自然の隠された奇跡』の言説である。当時の読者は悪臭嫌悪説に疑問を抱くどころか、レムニウスの言説を意識の基盤において世界を見つめるようになった。

男は強くて熱い存在であり、力・清純・天に属す。一方、女は弱い存在で、冷・不純・湿気に属す者たちだ。また、家を守る役目を負っていた女性たちが家畜にたとえられるのは、中世ではよくあることだった。

ことに女性たちの「夥しいほどの排泄」、つまり月経へのレムニウスの嫌悪は凄まじかった。彼に言わせれば、経血に触れたものは何であれ劣化してしまう。花や果実は萎び、象牙は黒ずみ、短刀は鈍らになり、蜜蜂は姿を消し、馬が死産する。

月経期でなくても、経血の持つ劣化作用は働き続けるため、女がその場にいるだけでニクズクの樹が枯れ果て、黒ずんでしまう。サンゴも白化し、やがて死に至る。レムニウスはそう主張したのだった。

B.C.8000　　　B.C.4000　　　B.C.1000　　　　A.D.0　　　　A.D.1000

A.D. 1587

淫魔と交わった中世の「魔女」

　齢31にして夫と死に別れた助産師ヴァルプルガ・ハウスメニンは、ある夜、下男と逢引（あいびき）の約束を交わした。だが現れたのは淫魔であった……と後にヴァルプルガは語った。

　淫魔は地獄の序列では下層にいるが、愛欲の技に非常に長（た）けた存在だ。下男の姿をした悪魔に気づいたヴァルプルガは、最初の夜はこれを退けることに成功する。だが淫魔は次の日も現れた。ヴァルプルガは抗うこともできず、悪魔と同衾する。そして熊手に乗って魔王ルシファーの御前に参じ、地獄の洗礼を受けた（熊手など又状の農具は、悪魔の道具や象徴とされていた）。

　こうして魔女になったヴァルプルガに、軟膏が与えられる。それは野畑の果実、家畜、そして人間を侵す毒薬であった。ヴァルプルガは悪魔の軟膏を用いて、子ども40人と大人数人を殺害した。

　1587年バイエルンの町ディリンゲンで、ヴァルプルガは魔術を使用したかどで捕らえられ、裁判にかけられる。過酷な拷問に責め苛まれたヴァルプルガは、偽りの自白をする。自称魔女と地獄の悪魔との愛欲を報告する最初の事例であったため、大きな注目を浴びることとなった。だが実際のところヴァルプルガは、拷問者と教会から送り込まれた尋問官によって責め苦を受け続けた果てに、男たちが聴きたいことを「自白」したのだった。

　中世の男たちが黒魔術よりも恐れていたのは、女性の自立と性欲であった。特に女の性欲は、男が理解できるものではなかったがゆえに、男たちはあらゆる手段を用いてでも女の性欲を抑制し、邪悪なものとして捉えるようになった。

A.D.1200　　　A.D.1400　　　A.D.1600　　　A.D.1800　　　A.D.2020

　ヴァルプルガの裁判に先んじて1486年に、ドミニコ会士ハインリヒ・クラーマーが『魔女の鉄槌』を著している。神学的に魔女狩りを正当化することを目的に発表されたもので、西欧や中欧に急速に普及していった。恐るべきかな、異端審問官たちは、異常なまでに女性を嫌悪し、女たちが男たちを奈落へ、悪魔の鉤爪のなかへと陥れたと女性を責め立てた。クラーマーに言わせると、女は「男に比べて思考が肉欲に支配されている」。そもそもイブは、アダムの肋骨から創り出された。ゆえに「女は不完全な獣であり、常に欺く存在である」。

　クラーマーによれば、悪魔と契約を結んだ女には魔力が与えられる。女の魔術によって男の生殖力は損なわれ、社会の生産性と繁栄の土台が揺るがされる。魔女の力は強大だ。「第1に、人の心を操り、常ならぬ愛を抱かせる。第2に、生殖能力を妨げる。第3に、生殖に必要な肉体の部位を除去する。第4に、奇怪な術を用いて人を動物へと変じさせる。第5に、女の生殖力を失わせる。第6に、早産を招く。第7に、悪魔に子どもを捧げる。他者を獣や農作物に変じさせる能力を除いても、これだけの損害をもたらすのである」

　言い換えれば、何か上手くいかないことがあれば——たとえば作物の収穫が芳しくなかったとか、夜のおつとめの成果が出ないとか——その原因は決して男性にはないということになる。

　ヨーロッパの魔女狩りの犠牲者は6万人にのぼる。『魔女の鉄槌』の刊行から約100年後の1587年9月20日、ヴァルプルガはディリンゲンにおいて火あぶりの刑に処された。彼女の遺灰は、ドナウ川に撒かれた。

B.C.8000　　　　　B.C.4000　　　　　B.C.1000　　　　　A.D.0　　　　　A.D.1000

A.D. 1630

049 天才画家の理想の女性像

「画家の王」こと、ピーテル・パウル・ルーベンスほど、生涯のうちに業績を残した人間はいない。スペイン・ハプスブルク王家に仕える外交官としてヨーロッパ各地を巡る彼の言葉を、30分でも拝聴させてほしいと大陸中の王侯貴族が請い願った。

卓越した手腕を発揮する外交官にして、天才的画家であったルーベンスは、実業家としての商才にも恵まれていた。決して妥協することがなく、彼の工房は各国との取引を営む中規模の企業に変わっていった。弟子と共同で4日もあれば油彩画1枚が仕上がったにもかかわらず、大量生産品のように顧客が自由に値段をつけることはなかったのである。

かつてシェイクスピアが文学史に大きな痕跡を残したように、ルーベンスが絵画史に及ぼした影響は計り知れない。イタリアの巨匠たちの用いた彩色を取り入れ、力強い筆致で画布に思いもよらない作品を描き、これまでになかった写実的な技法を生み出したのであった。巨匠ルーベンスは、その死後から数百年が経ってもなお、印象派など、後世の芸術家に貢献した存在として名を挙げられる。

ルーベンス自身はというと、自惚れは強いが、歯ぎしりするほど美しかった。そんな100年に1人の逸材が恋に落ちたとなれば、何かが起こらないわけがない。

ルーベンスは49歳のとき、最初の妻イザベラ・ブラントと死に別れた。

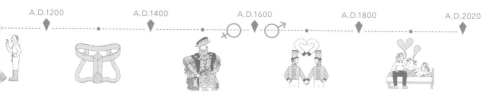

A.D.1200　　A.D.1400　　A.D.1600　　A.D.1800　　A.D.2020

4年のあいだ喪に服したルーベンスだったが、その後エレーヌ・フールマンを妻に迎える。それ以前にも事あるごとにルーベンスの絵のモデルを務めていた年若い娘だ。友人に宛てた手紙のなかで、ルーベンスは次のように記した。

「まだ独り身で暮らす気にはなれず、結婚を決めました。妻に迎えた娘は若く、市民階級の良家出身です。皆には、貴族の女性と結婚するように言われたのですけれど。（中略）正直なところ、自由という貴重な宝と引き換えに、盛りの過ぎた女性の愛撫を受け入れることは、私には厳しかったでしょう」。

1630年にルーベンスと結婚したとき、妻のエレーヌ・フールマンは16歳であった。ブロンドの髪と血色のいい肌をしており、「アントワープの女神（ヴィーナス）」と呼ばれていた。新婚夫婦は、ルーベンスの邸宅に暮らすことにした。邸宅の入口には「憤怒（ふん）も情欲（ぬ）も、何ものも汝（なんじ）を揺さぶるなかれ」という格言が記されていた。気の利いた助言ではあるが、ルーベンス自身が新婚から数年、これに留意することはなかったらしい。

邸宅はルーベンス夫妻の愛の巣と化した。2人の周囲が呆（あき）れつつも舌を巻いたのは、ルーベンスが妻エレーヌを心身ともに愛していることを包み隠さず語ったことだ。「私が絵筆を手に取るのを見ても、妻は顔を赤らめることはなかったのだ」。

ルーベンスは、19枚の絵にエレーヌの姿を描いた。あるときは花嫁の姿、あるときは母の姿、毛皮を纏（まと）った魔性の女（ファム・ファタール）、愛の女神などなど……。そのほかにも彼女の輪郭を取り入れた絵は多く残っている。うら若い妻を絵に描いて見せびらかして自慢をしていた、と評することもできるだろう。ルーベンスの高名な作品の数々は、この時期に生み出された。アントワープの住人たちは、ルーベンス夫妻を悪く言った。絵に映る魅惑的な裸婦の正体が、画家

とのあいだに4人の子どもをもうけた妻であることを知っていたからだ。

　ルーベンスの登場以前より、芸術家たちは彫像や肖像を作り上げ、大なり小なりの成功を収め、芸術活動を通じて人々の心を惹きつけてやまない理想の美の強化と発展に努めてきた。後期旧石器時代の遺跡から発掘された「ヴィレンドルフのヴィーナス」は、太い足と、垂れ落ちた大きな乳房、ふくよかな腹と、肉づきのいい臀部を持つ女性を表現した彫刻だ。紀元前2世紀の作品、ペルガモン大祭壇の浮彫（レリーフ）は、ギリシア神話の女神アルテミスと巨人族の

A.D.1200　　　　A.D.1400　　　　A.D.1600　　　　A.D.1800　　　　A.D.2020

戦いを描いたものだが、ここではアルテミスは腰のくびれの細い活動的な女性の姿をしている。117年から138年にかけてローマ皇帝の地位にあったハドリアヌスは、寵愛するアンティノウスの像を帝国じゅうに建てさせた。憂いを帯びた瞳、まっすぐな鼻筋、ほっそりとした体格……このアンティノウス像の容姿が、普遍的な美の基準として定着することになった。中世では、女たちは両性的ともいえる描き方をされた。逞しく、細い輪郭、肩は胸を隠すように前へ突き出されていた。

　ルーベンスが描き出したのは、新たなる理想の肉体像であった。彼に先立って、イタリアではルネッサンス芸術家たちの手で豊満な肉体の女性たちが描かれていた。ルーベンスは、イタリア・ルネッサンスの女性像を採用し、より肉づきのよい腿、柔らかな臀部、脂肪の波打つ両腕、そして特に丹念に女性の顎の二重の輪郭を蠱惑的に描いたのであった。

　ルーベンスの描く女性たちの姿は、彼の生きた文化に基づいて生み出されたものであるともいえる。その胸は不自然なほど小さい。「平たすぎず、柔らかすぎず」、ただ「慎ましく覗かせる」べきであるというのが、ルーベンスの言だ。彼が熱い眼差しを注ぎながら描き出したエレーヌの姿は芸術史に刻み込まれ、後世の肉体像などの基となった。躍起になって細い肉体を追い求める現代人ですら、ルーベンスの女性像を称賛するほどだ。これこそがまさに偉大なる画家ルーベンスの果たした功績なのである。

B.C.8000	B.C.4000	B.C.1000	A.D.0	A.D.1000

A.D. 1644

050 　欲情罪で絞首刑

　1644年3月21日、ボストンに法と秩序が戻り、人々はようやく安心して眠りに就くことができた。メアリ・レイサムとジェイムズ・ブリトンの2名が絞首刑に処せられるのを見ようと、何百人もの住人たちが集まった。罪人たちは革命を扇動したわけでもなければ、人を殺したわけでもない。より質が悪い。互いに欲情を抱いたこと、それが2人の罪だ。

　アメリカン・ドリームとは、貞潔の追求と実現でもあった。新世界に踏み立った移民たちは、恣意や不正、罪のない、より良き世界の構築を目指していた。東海岸に入植した清教徒（ピューリタン）たちは、教会が腐敗し、とうの昔に悪魔の手に堕ちたと信じて疑わず、ヨーロッパ法が不義の罪を犯した者に軽度の罰金や懲役刑しか科さないことに憤りを覚えていた。

　17世紀初頭、アメリカ大陸のイギリス植民地全域において厳格な法が公布された。住民の徳と貞潔を守るための法律であった。妊娠中の妻と寝た男は、追放を覚悟することになる。だが最悪の罪は、不義だ。これは死をもって償わなくてはならない。

　実際のところ、レイサムとブリトンのあいだに何があったのかは明らかにされていない。小さな町プリマスの名家に生まれたレイサムは、年配の男と結婚したものの、幸福には恵まれていなかった。気分転換のために定期的に飲み屋を訪れていたレイサムは、そこでブリトンに出会ったのである。ブリトンは仲間と旅の途上でそこに立ち寄っていたのだった。両名は互いに飲み、冗談を言い交わし、会話を楽しみ、さらに飲んだ。気がつけば2人の距離は

A.D.1200　　　　A.D.1400　　　　A.D.1600　　　　A.D.1800　　　　A.D.2020

   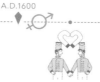 

　近くなっていた。他人同士の男女に許される距離を、とうに超えていた。

　レイサムとブリトンのあいだに性交渉はなかったと、後に捜査官は断言している。もしかしたらレイサムが引き下がったのかもしれないし、ひょっとするとブリトンは酔い過ぎていたのかもしれない。

　夜が明けた。

　時が経った。

　数か月後、ブリトンは重い病に倒れた。熱に浮かされながら、プリマスでの法を犯した夜のことを思い出し、神が罰を下しているのだと考えた。そこでボストンの法廷へ赴き、不義の罪を自白した。その晩、レイサムは逮捕され、ボストンへ移送された。

　1644年3月7日、判事は両名に死刑を告げた。不義の試みそれ自体が、重大な罪であったからだ。当時の記録によると、レイサムは処刑の前に今一度観衆を振り返り、己の所業を悔いていると発言し、若き婦人たちに自身の運命を戒め、心得るように警告したそうだ。このときレイサムは18歳であった。

B.C.8000　　　　　B.C.4000　　　　　B.C.1000　　　　　A.D.0　　　　　A.D.1000

A.D. 1668

051 ドイツの尻フレーズあれこれ

　ドイツ語には「Leck mich am Arsch!（俺の尻を舐めろ！）」という罵倒がある。「おととい来やがれ」という意味だ。30年戦争の頃を中心に、ドイツでおこなわれていた処罰に由来する言葉である。当時捕虜にされた者は、見張番の尻を舌や口で愛撫することを強制された。しかも捕虜の屈辱感を一層募らせるために、公衆の前でその行為を強要されたのである。

　1668年、ハンス・ヤーコプ・クリストッフェル・フォン・グリンメルスハウゼンが14章から成る悪漢小説『阿呆物語』を発表した。主人公メルキオール・シュテルンフェルス・フォン・フックスハイム（ちなみにこの名は、作者の名前のアナグラムである）は兵士たちと連れ立っていたところ、穴に入った鼻と耳のない憐れな男を見つける。農民たちによって鼻と耳を切り落とされた上に、「5人の尻を舐めろと強いられた」のだ。

　農民たちの非道な行為に嫌悪を覚えた兵士たちは、悪漢どもを同じ罰をもって償わせ、追い払うことにした。農民たちはそれぞれ、10名の兵士の肛門を舐め、次のように言うことを強制された。「あの熊の毛皮の男が私たちの尻を舐めて受けた恥辱を、男から話を聞き知り、その様を想像した兵士たちが同じように被った恥辱を、今拭き取り、拭い去ります」。

　戦乱の最中のドイツで生まれた尻フレーズは、その後もあらゆる階級の文化のなかで使われ続ける。

「奴に伝えろ、俺の尻を舐めろとな！」

　グリンメルスハウゼンから約100年後に発表された、ゲーテの戯曲『ゲッ

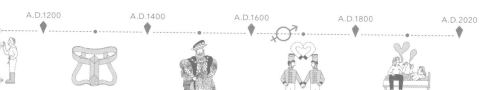

A.D.1200　　　　A.D.1400　　　　A.D.1600　　　　A.D.1800　　　A.D.2020

ツ・フォン・ベルリヒンゲン』の一節である。主人公の騎士が敵に捕らえられた際に発する台詞だ。モーツァルトもまた、6声のカノン『俺の尻を舐めろ』を作曲した。

　ドイツに定着した尻フレーズは、数世紀をかけて、世界中に広がっていった。まずは罵倒として（英語で「Kiss my ass!」、フランス語で「Lèche mon cul!」、スペイン語で「¡Que te den por el culo!」、イタリア語で「Vaffanculo!」）、それからセックスプレイの言葉へと変化していったのである。いわゆるアニリングスのことで、相手の肛門や会陰を舌と口を使って刺激する行為だ。アメリカのテレビドラマ『セックス・アンド・ザ・シティ』にも登場する。ニッキー・ミナージュのラップにも、こんなフレーズがある。「カップケーキみたいに、あたしの尻を食べさせてやるよ」。

　こうした現代の風潮を目の当たりにしたら、『阿呆物語』の主人公ははたして何と言うだろうか？

B.C.8000	B.C.4000	B.C.1000	A.D.0	A.D.1000

A.D. 1691

052 ロンドンっ子の恋愛相談

　1691年、イギリスで出版業を営むジョン・ダントンは、出版市場にぽっかり空いた穴（ニーズ）に気がついた。

　愛、性行為、愛撫に関わるあらゆる疑問に取り澄まして「ノー」と言い続けた教会勢力による数世紀にわたる支配が終わり（第34章「イカす司祭のイケる本」参照）、人々は教会の代わりに情報を与え、己を導いてくれる存在を強く求めるようになっていた。

「踊りたいという欲求が時折湧き起こるのだが、大丈夫なのだろうか？」

「そもそも愛とは何ぞや？」

「女性も学校に行っていいのか？」

「惨めな街娼に身をやつす女性を減らすためだといって、売春宿を建てる必要はないんじゃないか？」

「結婚前に複数の男性と寝たことがあると、夫に打ち明けたほうがいいのだろうか？」

　こうした人々の不安に終止符を打つべく、ダントンは質疑応答式の隔月誌、《ザ・アセニアン・マーキュリー》をロンドンで刊行した。匿名で寄せられた読者の疑問に、アセニアン協会と呼ばれる専門家グループが答えを提供するのを売りとしていた。実際にはダントン自身と、義理の兄弟2人とで答えを用意していたのだが。ともかく3名ともが、偏見のない博愛に満ちた姿勢で質疑応答に臨んでいた。彼らの回答は、こういった具合だ。

「踊りたいという欲求は自然なことですし、健康にもよいことですよ」。

A.D.1200　　　A.D.1400　　　A.D.1600　　　A.D.1800　　　A.D.2020

「友情が高まり、大きくなったのが愛です」。

「女性を学校に行かせるのは、とてもいい考えですね」。

「非合法の街娼よりも、売春宿のほうが幾分マシなのは言うまでもないことです」。

「意味のない、無用の告白をして、夫の人生が壊されるなんてことは、誰も望んでおりませんよ」。

　中世では誰もが宿命により定められた立場を生涯守り続け、世界はある意味で整然としていた。その世界が崩壊したのが、17世紀末のことである。啓蒙主義の現れとともに、教会や王侯貴族たちが権力を握ることに疑問が呈された。デカルトが合理主義を打ち立て、スピノザは絶対唯一だった宗教を相対化し、教会を批判した。大都市がいくつもできたものの、住人の数がこれまでの都市部とは桁が異なるために、市民一人ひとりの管理や監督が非常に難しくなった。

　ロンドンの人口は中世には4万人ほどだったのが、1660年にはすでに40万人に跳ね上がり、1800年には100万人にまで膨れあがっていた。また1600年のイギリスでは雑誌が1冊も発行されていなかったのが、1752年にはロンドンで20以上の刊行物が発行されており、その多くは日刊であった。文字を読むことのできない者も、喫茶店やパブで街の噂や政治、学問といった様々な分野の最新情報を得ていた。

　つまり、中世が終わりを告げた瞬間から、誰もが意見を発信し、疑問を投げかけることができるようになったのだ。

　こうしたメディア革命は、性愛の領域にも変革をもたらしたのだった。発行者ダントンは《ザ・アセニアン・マーキュリー》第2号にして、読者に極端に卑猥な質問やタブーに触れかねない危険な質問は控えてほしいと訴えている。そんなメッセージを掲載したものだから、性愛に関する質問はかえって

B.C.8000	B.C.4000	B.C.1000	A.D.0	A.D.1000

増し、何百もの投稿が読者から殺到したのであった。

　性愛を巡る質疑応答に、とりわけ積極的に参加したのが女性たちだった。ダントンもまた、読者の大半を占めるのが女性であることに気がつき、1693年には女性誌《ザ・アセニアン・マーキュリー》を創刊する。「愛、夫婦生活、礼儀作法、流行、ユーモアなどなど、独身女性でも、既婚女性でも、夫と死に別れた女性でも、知的欲求に駆られた方の興味深くも、おもしろいご質問に答える」ことを目的とした雑誌であった。

　この雑誌によって発行者ダントンは裕福になった。とはいえ彼は元々、変化や新しい物事を追い求める意欲に満ちた、新社会の先駆けとなる人物であったのだ。

《ザ・アセニアン・マーキュリー》の創刊号で、ある読者がこんな質問を投げかけた。

　世界の大部分には、いつか人に発見される日を待ち焦がれている物事がまだあるのだろうか？

　常であれば美辞麗句を重ねて読者の疑問に答えるダントンであったが、このときはたった一言、「イエス」とだけ答えたのであった。

A.D.1200　　　　A.D.1400　　　　A.D.1600　　　　A.D.1800　　　　A.D.2020

A.D. 1712

アンチマスターベーション・マーケティング

　イギリスの無免許の外科医であったジョン・マーティンは、出版史上おそらく最も長く異彩を放つ題名の本を著した。

　その名も、『オナニア──あるいは、自慰という忌まわしき罪と、男女両性にもたらされる恐るべき帰結──ならびに、この忌むべき習癖によって罪を犯してしまった者たちへの精神的および肉体的助言』。

　この小冊子が発行されたのは1712年（1736年にはドイツ語訳が出版される）。自慰行為によって男女問わず健康が大いに害されることを、初めて学問的に証明しようと試みた著作である。

　16 ～ 17世紀、自慰行為に関しては見解が分かれていた。カトリック教会が自慰という悪癖を止めるように注意喚起していたのは言うまでもない。性交渉のみが、生殖という目的を持っているため合法とされていたのだ。だが一方で、フランスの子守女は、幼い男児をあやすのにペニスを擽っていたという。また、医学書のなかには、男性の場合は精液が余分に溜まることを避けるため、女性の場合は分泌液の不足を防ぐための手段として、自慰を推奨しているものもあった。

　このように雑多な「誤った」情報を、マーティンは一掃したかったのだろう。こうして「オナニー」という概念が生み出される運びとなったのだが、語源となった聖書の登場人物オナンが自慰行為をしたとは旧約聖書のどこにも書かれていない（第11章「オナンはオナニーしない」参照）。

　マーティンはソフトポルノ作品を書く才能に恵まれていただけでなく、実

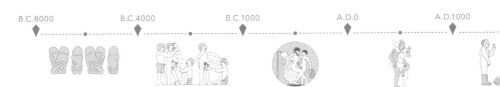

B.C.8000　　　　B.C.4000　　　　B.C.1000　　　　　A.D.0　　　　　A.D.1000

業家としても抜け目のない商才を発揮していた。『オナニア』には法外な値段のチンキ剤や粉薬の広告が掲載されていたが、こうした薬剤はマーティン自身が製造し、販売しているものだった。頭痛や突発性の視力障害、一般的な意識障害など、自慰によって引き起こされたと思しき症状に効果ありと偽薬が紹介されていたのは、偶然ではない。

　道徳観念、医学的見地、利益計上の３つの思惑が絡み合い、生み出された著作『オナニア』は大きな成功を収めた。まずイギリスで売れ行きを伸ばし、数か国語に翻訳された。マーティンとは違い、学問分野に疑いようのない功績を残した哲学の偉人たちも、（なんちゃって学問の）『オナニア』から影響を受けた。

　哲学者イマヌエル・カントは、自慰を「甚だ自然に反した行為」とし、自殺よりも質の悪い罪業であると述べた。啓蒙主義時代に大きな影響力を持っていた医師サミュエル・オーギュスト・ティソもまた、1760年に『オナニア』の内容をより発展させた著作を発表した。そのなかでは、精液を浪費することは失血よりもはるかに有害性が高いと記されている。

　自慰という危険から身を守るために奇抜な器具やら装置やらが18〜19世紀に開発されたのも、決して不思議なことではない。青少年には、夜に性器を弄ることがないよう、厚手の手袋の着用が強制された。若い娘たちは、足を広げることがないようにと、腿に拘束具を着用させられた。さらには、就寝中に男性のペニスが勃起すると、音を鳴らしたり、電流を走らせたりして知らせる機器まで現れたのだった。

　奇抜で長い題名を持つ本『オナニア』は、2世紀以上にわたって人々の思考、行動、そして自慰行為に影響を及ぼしたのであった。

A.D.1200　　A.D.1400　　A.D.1600　　A.D.1800　　A.D.2020

A.D. 1721

054 トランスジェンダーの死刑

　ある11月の日曜日のこと。ドイツの町ハルバーシュタットの第5番魚売り広場にて、死刑執行人が剣を振り上げた。1つの命が終わりを迎え、首が落ちた。女の首だった。本当は男であることを望んでいた女の。

　1721年、女性同士の姦淫を働いたかどで女性が処刑されるのは、ヨーロッパではこれが最後になる。すなわち罪状は、「自然に反する性行為」であり、この場合は女性同士の性交渉を指す。

　だがこの事件はそもそも、人間が己の性別を自由に選ぶ権利を有しているかどうかを巡って取り沙汰されていた。

　カタリーナ・マルガレータ・リンクは、すでに幼少期より他の女の子に心惹かれていることを自覚し、自身の魂が誤った肉体に入っていると感じていた。男女という2つの性にはそれぞれの分を弁えた振る舞いや、愛すべき対象、自由な行動の許される範囲が定められており、カタリーナはそうした性役割という名の枷から逃れることを幼いうちに心に決めた。

　15歳になると、ハレ近郊にある故郷の町グラウハを出た。旅の途上で襲いかかられたり、強姦されたりすることがないよう、男性服を身につけることにした。カタリーナは背が高く、ほっそりとした体格で、彫りの深い目鼻立ちをしており、髪を貴族に仕える小姓のような髪型に整えた。胸は亜麻布で固く巻いて、シャツと胴着の下に隠した（後にはブリキのさらしを仕立てさせた）。

　現代でいうところのトランスジェンダーであった彼女の試みはうまくいっ

B.C.8000　　　B.C.4000　　　B.C.1000　　　A.D.0　　　A.D.1000

た。やがてカタリーナは、自身に新たな名前を授けた。アナスタシウス・ラ
ガランティヌス・ローゼンシュテンゲル、充分な考慮の上で選ばれた名であ
る。アナスタシウスは、「復活者」を意味する。また薔薇は女性の象徴であるが、
これに茎を意味すると同時に暗に男根を指す単語「シュテンゲル」を融合さ
せたものを姓とした。

　カタリーナの性の転換行為は当初完璧で、あらゆる職業のうち最も男性的
な仕事を獲得するに至った。18歳のとき、ハノーファー選帝侯の軍隊に所
属する兵士となり、スペイン継承戦争に参加した。このとき輜重（物資を
供給する）隊として従軍していた「娘っ子」に接触するのは、さほど労を要
することではなかった。

　年月を経るごとにカタリーナが女性であることは周囲に見抜かれつつあっ
たが、それでも幾度となく新兵として雇われることがかなっていた。カタリー
ナの変名は4度にわたる。アナスタシウスはカスパーになり、その次はペー
テル、最後にコルネリウスだ。変名だけではない。常に新たな男装仕様を入
念に作り出していた。男性のように小便ができるようにと、牡牛の角の先に
小さな穴を開けて使用した。売春婦と性行為をおこなう際には、革製のペニ
スを腰に括りつけていた（第34章「イカす司祭のイケる本」参照）。

　革製の睾丸を2つ備えたペニスバンドは、本物とまごうほどの感触だった
ようだ。この誤魔化しに女性たちが気がついていたという記録はない。なか
には模造ペニスを手で扱いて愛撫した女性もいたという。

　牡牛の角や、革のペニスなどをカタリーナが手放したのは、かなりの時間
が経過してからのことだった。30歳の彼女が恋に落ちたのは、自分よりも
若い女性だった。若い女に惹かれるという点では、世の男性たちと共通して
いる。相手はハルバーシュタット出身の19歳の娘カタリーナ・マルガレーテ・
ミュールハーンである。

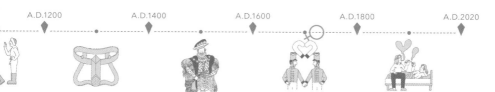

　問題は、姑であった。諍いが頻発し、一度などは摑み合いになった。取っ組み合ううちに姑が放った反則攻撃によって、革のペニスの正体が暴かれたのだ。

　カタリーナは捕らえられ、法廷へ連行された。そもそもカタリーナは姦淫をしたのか、判事は長いこと決めかねた。証拠が充分ではなかったからだ。最終的には身体検査の実施が命じられた。当時の記録には、このときの様子が残されている。カタリーナの胸からブリキが外され、「魅力的だが豊満ではない2房の女性たる証拠」が露となった。ズボンを下ろしたところ「角と一緒に、革のソーセージ」が現れたという。

　カタリーナは死刑を宣告された。処刑に際し、彼女が身につけていたのは女性服であった。

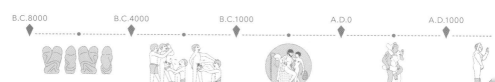

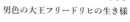

A.D. 1730

055 男色の大王フリードリヒの生き様

　1730年11月9日。この日はプロイセン国王フリードリヒ2世にとって人生最悪の日となった。後に大王と呼ばれることになる18歳の王太子は、親友であったハンス・ヘルマン・フォン・カッテが死ぬ様を、為すすべもなくただ見つめることしかできなかった。父王フリードリヒ・ヴィルヘルム1世に、処刑の場に立ち会うことを強要されたのである。死刑執行人が腕を振りかぶった。カッテの首が落ち、フリードリヒは意識を失った。

　フォン・カッテは、フリードリヒと共にフルートの演奏に興じ、詩作の情熱を分かち合った。おそらく、ベッドでの情欲も共有していたのだろう。2人の関係が、父王フリードリヒ・ヴィルヘルムには気に食わなかった。息子にはプロイセンを治めるにふさわしい厳格な軍人王になってもらいたかったのだ。「女じみた男色家」ではなく。

　フリードリヒとフォン・カッテの2人は、逃亡を企てたが、それは杜撰な計画だった。厳格な父王はこれを最大限に利用し、息子の恋人を逃亡兵として処刑させたのである。だが冷酷な罰を与えても、何の効果も得られなかった。ほかにも公衆の面前でフリードリヒに体罰を与えたり、一度は自殺を勧告したりするなど、教育的指導をあれこれ実施するも、いずれも功を奏することはなかった。

　ベルリン近郊の町キュストリン要塞に幽閉されたフリードリヒは、あるフルート奏者と関係を持つようになった。ミヒャエル・ガブリエル・フレーデルスドルフ――オーボエ奏者でもあり、プロイセン軍の銃士だった彼の身分は低かったが、非常に美しい容姿をしており、お人よしな性格であった。フレー

A.D.1200　　　A.D.1400　　　A.D.1600　　　A.D.1800　　　A.D.2020

デルスドルフは王太子の「気を晴らそうと、あれこれと世話を焼く」と、フリードリヒの親友であったヴォルテールは苦々しく綴った。ヴォルテールは、王太子の性的指向を仄（ほの）めかしではあったが公にした最初の人物である。彼はフリードリヒを「ルック（Luc）」と呼んだ。後ろから読めば、フランス語で尻を意味する「キュル（Cul）」という単語になる。

　プロイセン軍では、男性同士の関係は決して稀有なことではなかった（第19章「『蛮族』ケルト人が育んだセックスの絆」参照）。陸軍幼年学校という外部から遮断された閉鎖空間で、若き貴族の子弟たちは士官としての経歴を積むべく訓練に励んだ。彼らの世界に、女性が現れることは滅多になかった。夜になると子どもたちは冷え切った共同寝室で互いに寄り添い、体を温めた。将官たちは、兵士の結婚を快くは思っていなかった。どんな勇士も結婚した途端に軟弱になり、交戦意欲も次第に消えていく。兵士たちの多くは、男性同士で関係を持つことでしか他者と親しくなることができなかった。

　フリードリヒ・ヴィルヘルム1世は、戦友とお楽しみに耽った兵士たちを無慈悲にも処刑台に送った。だが、父とは対照的に、フリードリヒ大王は兵士たちが愛の戯れに耽っている現場を押さえたとしても、階級の高い将校であれば降格に処すのみであった。大王自身もまた、自身の性的指向を隠そうと努めていた。あまりうまくいったとは言い難いが。

「この先2度と味わえないような官能を覚えた」と、同性愛者（ホモセクシュアル）であった考古学者兼作家のヨハン・ヨアヒム・ヴィンケルマンは、フリードリヒ大王の宮廷を訪れたときのことを語った。サンスーシ宮殿は、ほとんど女人禁制といえる場所であった。王妃エリーザベト・クリスティーネ・フォン・ブラウンシュヴァイク＝ヴォルフェンビュッテル＝ベーヴェルンですら、立ち入りは禁じられ、ベルリンで暮らしていたのだ。マダムは「以前よりもふくよかに」なったと、フリードリヒ大王は6年ぶりに会った妻のエリーザベト・クリスティーネに意

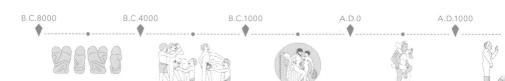

B.C.8000　　　　B.C.4000　　　　B.C.1000　　　　A.D.0　　　　A.D.1000

地悪く言ったという。

　フリードリヒ大王が生涯で最も大切な関係を結んだのは、近侍であり、最も信頼のおける親友のフレーデルスドルフであった。彼に宛てた情愛に満ちた手紙が残っている。「私は医師に口づけをした。いったいいつになったらおまえを治してくれるのか！（中略）この命ある限り、おまえの助けとなりたい」。病床に臥したフレーデルスドルフに宛てて綴られた手紙の一節である。

　フリードリヒ大王の生き様は、ある意味では自身の統治原則にまっとうに従ったものだったのだ。「我が国家では誰もが己の流儀で生活を送り、幸福になることができる」。

A.D.1200　　A.D.1400　　A.D.1600　　A.D.1800　　A.D.2020

A.D. 1732

056 英国チン士倶楽部

　英国の伝統ある紳士の社交倶楽部（くらぶ）といえば、板張りの壁に、暖炉、ウイスキーコレクション。英国人らしく唇をきりりと結び、俗世の理不尽に耐え、王室と帝国を讃えるのに相応（ふさわ）しい空間である。

　だが、1732年にスコットランドの町アンストラザーの地に創設された倶楽部「ベガーズ・ベニゾン（物乞いの祝福）」の目的は別にあった。正確に言えば、創設の士たちの目的はただ1つ……自分のモノだ。

　そう、倶楽部の目的は男性の性欲を礼賛することであり、当時の社会では禁忌とされていた「ある行為」を実践することであった。

　英国の紳士倶楽部で思い浮かべる一般的なイメージ同様、ベガーズ・ベニゾンもまた入会のための儀礼を設けていた。新入会員は、ずらりと勢揃いした会員たちの前に立つと、服を脱いで、自身のペニスを扱き始める。男根が勃起すると、それを倶楽部の名前とペニスの絵の彫り込まれた錫（すず）製の皿に載せる。すると別の紳士が加わり、同じく自慰を始める。1人が終われば、次の紳士といった具合に、紳士たちは入れ替わり立ち替わり自慰をしては、己の性器で新入りのペニスに触れる。握手ならぬ、握竿（あっかん）である。

　儀式の中核を成すのが集団千摺（せんず）りであったとはいえ、ベガーズ・ベニゾンの会員たちは決して愚かな男性優位主義（マッチョ）者ではなかった。自慰が罪深く、心身を害するものとされた18世紀において（第53章「アンチマスターベーション・マーケティング」参照）、組織だって自慰をおこなうことは革新的であったといえる。

　紳士たちは、己の性欲を満たすことだけを目的としていたわけではない。

B.C.8000　　　B.C.4000　　　B.C.1000　　　A.D.0　　　A.D.1000

新たなる性愛文化を築くことこそが、彼らの目指すところであった。官能小説を朗読し合い、男女それぞれの肉体の解剖に関する報告を聴き、さらには女性たちも不安なく性交渉を楽しむことができるからと避妊に賛意を示した。会員には高位の政治家や貴族、法律家、将校が名を連ね、加えて聖職者も少なからず参加していた。

A.D. 1753

イタリアが生んだ
色男カサノヴァの女性観

　ジャコモ・ジローラモ・カサノヴァは、約束よりも早い時間に着いていた。「7時にはすでに、私は英雄コッレオーニ騎馬像の前に立っていた。彼女は8時に来てほしいと言ったのだが、彼女が現れるのを今かと待ち侘びる甘い時間を堪能したかったのだ」。

　1753年のある秋の日のイタリアはヴェネツィア。当時28歳の男盛りにあったカサノヴァは、長いこと女性と褥を共にしていなかった。そんな彼が待っている女性は、どこにでもいる普通の女性ではない。自伝『カザノヴァ回想録』には、麗しきM・Mという女性の存在が語られている。想い人を待ち焦がれるあまり、もどかしさを覚えるのも何ら不思議なことではない。

　「8時ちょうど、2挺櫓のゴンドラが岸に着くのを視界に捉えた。ゴンドラには仮面をつけた男が1人いた。私は驚き、後ろへ退いた。なぜ拳銃を持ってこなかったのかと、自分自身に腹を立てた。仮面の男が近づき、私へと静かに手を差し伸べた。そのとき気がついたのだ。愛しの天使が男装して現れたことに」。

　天使ことM・Mは、修道女であった。カサノヴァが彼女の本名を明かさなかったのも、そのためだ。とはいえM・Mが修道女にあるまじく、貞潔の誓いを尊重していなかったのは明らかだが。礼拝で美青年カサノヴァを見かけたM・Mは、ミサが終わると、2人きりで会いたいと声をかけたのだ。

　カサノヴァの自宅で密会するも、M・Mは彼にお預けを食らわせる。牡蠣の味を堪能し、見るからに焦れた様子のカサノヴァの姿を愉しんでから、よ

うやく服を脱ぎ、ベッドに裸で横たわった。自分の魅力を理解した上で駆け引きを仕掛けたM・Mに、カサノヴァは感激した。

「愛の炎を燃え立たせ、焼けつくような彼女の両腕の中へと飛び込んでいった。7時間かけて、熱く燃え立つ我が情熱を彼女にたっぷりと味わわせた。合間で何度か中断をしては、愛を囁き合い、情熱を再燃させたのであった」。

カサノヴァは、歴史に名を残すほど女性遍歴豊かな男であった。数多の女性と関係を結び、その数は回想録に記されているだけでも132人にのぼる。その1人ひとりを、カサノヴァは真剣に愛していた。M・Mとの関係を例にとると、カサノヴァは傷つきやすく、彼女の気持ちを信じられずにいたのである。

女性といよいよ関係を持つにあたって、まず彼はお眼鏡にかなった女性に宛てて燃えるような愛を手紙に綴った。18世紀最も引く手数多だったイギリスの高級娼婦キティに誘われたときは、英語が話せないことを理由に断った。カサノヴァにとって、会話のない性交渉など何の意味もないことだったのだ。

遊び人と思われがちなカサノヴァだが、数多くの女性を攻略することに意義を感じていたわけではない。互いに愛し合う者同士で、極上の時間を過ごしたかったのだ。いわば最大多数の最大幸福を追い求める性の功利主義者だったのである。

M・Mとの関係が始まってすぐ、彼女から他の愛人の存在を聞かされたカサノヴァだったが、特に不快には思わなかった。もう1人の愛人が、自身とM・Mとの性行為を見物したときも、何の抗議もしなかった。そんな状況のどこにM・Mたちが昂奮するのかは理解できなかったものの、恋人たちの頼みごとをカサノヴァが却下する理由もなかった。「何の差支えもないことだ」と。

カサノヴァとM・Mが逢瀬を重ねていた頃のヴェネツィアでは、人々はほ

A.D.1200　　　A.D.1400　　　A.D.1600　　　A.D.1800　　　A.D.2020

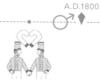

ぼ年中カーニヴァルの仮面をかぶっていた。仮面をつけると顔の大部分が隠されたので、住人たちは正体を伏せたまま自由に、秘やかなる願望や恋情をかなえるなど、生活を満喫していた。思いのままに、好きな役柄を自由に演じることができた。カサノヴァもまた、いつも同じ男の仮面をかぶっているわけではなかった。

　自伝には、とある学術論文に憤ったときのことが綴られている。論文の著者はボローニャ大学の教授で、曰く、女性がどんな過ちを犯そうとも赦すべし。なぜなら女性は極めて感情的であり、子宮の不具合や調子次第で気分が変わりやすく、その子宮だって好きで体内に抱えているわけではないのだから、と。怒りに駆られたカサノヴァは、すぐに反論を綴った。「女性は子宮を抱えているが、男性だって睾丸を持っている。両の性の違いは、これだけのことだ」。続けて以下のように反証を挙げた。「思考が肉体からではなく、心から生じるものであるならば、あの著者はなぜ女性の感情は子宮のせいにして、男性の感情の起因が睾丸にあるとしないのだろうか」。

　カサノヴァは単なる色男ではない。現代的な思考を持つフェミニストであった彼は、強い女性が共にいるからこそ人は真に幸福になれることを知っていたのである。

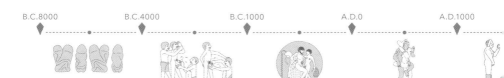

058 女帝エカチェリーナの愛欲生活

　ピョートル・フョードロヴィチ大公は、質の悪い子どものような男であった。10歳という、まだ弱々しい年齢の頃にはすでにお酒を飲み始めており、大人になってからも飲酒癖ばかりが強くなる有り様。そのほか子どもの頃から変わらず、飼い犬を鞭で虐待しては楽しんでいた。夜には玩具の人形で遊ぶものだから、夫に相手にもされない妻は頭を振り、自身の寝室で眠りに就いた。そう、ロシア帝国皇太子夫妻は、それぞれが違うベッドで眠っていたのだ。

「17歳だというのに、とにかく子どもじみた男だった」。

　エカチェリーナ大帝は回想録のなかで、夫ピョートルをこのように評した。プロイセンの街シュテッティン出身の女帝は、1744年に14歳にしてロシアのピョートルのもとへ輿入れした。夫妻のあいだに一度でも性交渉があったのかはわかっていない。1754年、25歳だったエカチェリーナは第1子パーヴェルを出産。だが女帝の回顧録によれば、子どもの父親は侍従セルゲイ・ヴァシリエヴィチ・サルトゥイコフだという。2番目の子アンナは、愛人の1人スタニスワフ2世・アウグスト・ポニャトフスキというたいそうな名前の御仁とのあいだにできた。さらに将校グリゴリー・グリゴリエヴィチ・オルロフと関係を持ち、ナターリア、エリザヴェータ、アレクセイの3人の子を産む。5番目のアレクセイが生まれた1762年、ピョートルの叔母であり、皇位にあったエリザヴェータが逝去した。

　エカチェリーナの夫は皇位を継承し、ピョートル3世となった。だが権力

を掌握した新皇帝は、前皇帝の葬儀の場でそこにそぐわない愚かな振る舞い
をしていたと、歴史家は記録している。葬儀での出来事が最後の引き金となっ
たのだろう。エカチェリーナは夫を排除するべく動いた。愛人にして将校の
オルロフを味方に、皇后は近衛兵（このえへい）を引き連れ、夫ピョートルを退位させ、自
らが女帝を名乗った。それからまもなくして、ピョートルは「不審な状況下
で」命を落とした。

　女帝エカチェリーナ2世の治世、巨大なロシア帝国はさらに領土を拡大し、
近代化を進めていった。効率的な行政制度が導入され、ヨーロッパ文化を受
け入れるべく門戸が開かれた。フランスの哲学者ヴォルテールは女帝を評し
「北の輝く星」と呼んだ。

　しかしエカチェリーナの私生活は、さらに時代の先を行っていた。愛人の
数は18人にのぼっていたという。愛人たちとのお楽しみに耽り、金や称号、
土地を贈りながらも、数年が経つといつの間にやら愛人のもとを離れていっ
た。だが、女帝の寵愛を失ったからといって、元愛人たちが不利益を被る心
配をすることはなかった。

　例外があるとすればただ1人、アレクサンドル・ドミトリエフ＝マモーノ
フ伯爵であった。当時60歳の女帝と関係を持っていた伯爵は、同時に16歳
の女官とも楽しんでいたのである。ところが、自分を裏切ったマモーノフに
さえ、女帝は彼をどうこうするところか、宮廷からの追放処分を下したのみ
で、おまけに餞別（せんべつ）に10万ルーブルの金と2250人の農奴を与えたのであった。

　エカチェリーナ大帝が最も愛したのは、グリゴリー・アレクサンドロヴィ
チ・ポチョムキン公爵であった。2人は秘かに結婚していたという。この関
係が終わりを告げたのは、ポチョムキンが片眼を失明し、宮廷を去ったとき
のことだ。だがその後もポチョムキンはご親切なことに、元恋人が新しい愛
人を選別するのに助言をしてやったり、愛人候補の礼儀作法やら文学の教養

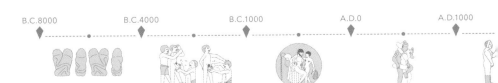

B.C.8000　　　B.C.4000　　　B.C.1000　　　A.D.0　　　A.D.1000

を試すなどの審査をおこなったりしていた。またエカチェリーナのほうも、真剣に交際を始めるのに先立って、寵臣たちが性病にかかっていないか医師に精密な診断をさせた。

　エカチェリーナの愛人リストの末尾に名を連ねることになったのは、プラトン・アレクサンドロヴィチ・ズーボフ。女帝60歳、ズーボフは22歳になったばかりであった。

A.D.1200　　A.D.1400　　A.D.1600　　A.D.1800　　A.D.2020

059 南太平洋の性教育

珊瑚礁の砂浜に打ち寄せる穏やかな波。青碧色の海水の中から浮かび上がる、わずか52平方キロほどの大きさの島。白い砂浜、ヤシやマングローブの樹々、漁師の船、小さな住まい。楽園に広がる光景は、きっとこんな感じだろう。

1777年3月29日、イギリスのジェームズ・クック船長は南太平洋の航行中に、マンガイア島を発見した。周辺諸島のなかで2番目に大きい島であった。マンガイア島を含むこの諸島は、船長にちなんでクック諸島と名付けられた。

イギリスの船乗りたちを迎える島の住人たちの態度は冷たかったそうだ。住人たちのそっけないもてなしはともかく、クック船長の船、レゾリューション号は忙しなく先の航路へと向かっていったのだった。

島の住人には、ヨーロッパからの探検家たちに隠しておきたい秘密があったという可能性は充分ありえた。マンガイア島には世界でも有数の、性に開放的な文化が浸透している。そう報告したのは、アメリカの人類学者ドナルド・S・マーシャルだ。彼は、クック船長の到達から200年後に島を訪れ、実際に1年そこで暮らした。南太平洋の住人たちの特殊な性教育について記録を残したのも、マーシャルが初めてのことであった。

子どもは8歳になると、もう性教育を受けるようになる。5年が経つと、本格的な授業が始まる。大人の女たちが少女たちの性教育を担当し、男たちが少年たちに様々な体位と行為中の持続力が上がる秘訣などを教える。およ

B.C.8000   B.C.4000   B.C.1000   A.D.0   A.D.1000

その2週間の座学を経た後、少年たちは新たに習得した男性能力を初めて発揮する機会を与えられる。年上の経験豊富な女性を相手に、性格闘技の模擬戦を実践するのだ。

デビュー戦に続いて、今度は少年少女同士で実戦経験を積んでいく。相手役を頻繁に変えることで、子どもたちのやる気が高まるのは明らかであった。性的に最も相性のいい相手を見つけられるからだ。理想の相手に出逢ったら、結婚をする。だがお試し期間中に関係を持った相手とは、結婚後も折に触れて同衾することが許されていた。

第2次世界大戦中にアメリカ軍人として太平洋の戦線に出ていたマーシャルは、軍人らしい規律性でもってマンガイア島民の性生活を分析した。週あたりの性行為の平均回数は、18歳の男たちが毎日、28歳は5〜6回、38歳で3〜4回、48歳になると2〜3回だ。性交渉とは島の共同体の期待を背負った行為であり、短くて15分、30分以上続けば上々だ。男と共に女もオーガズムに達した場合のみ、性行為は成功したといえる。相手役を満足させられない男は、マンガイア島では意気地なしとされた。男性の社会的地位は、性交時の腕前で決まったのだ（第24章「男根の神様」参照）。

南太平洋の白い砂浜が発見されてからというもの、文明生活に疲れ果てた北半球の住人たちは、かの光景に幻想を抱くようになった。18世紀にしてすでに哲学者ドゥニ・ディドロは、窮屈な服を身につけ、行動規範にがんじがらめにされているヨーロッパ人と対照的な存在として、気高き裸の「蛮人」たちを挙げている。西洋の民俗学は、南半球の諸島民に対して同様のイメージを形成した。マーシャルの研究報告はおそらく、エロティックな南太平洋文化がかなり美化されていたのだろう。

マンガイア島に足を踏み入れる民俗学者やジャーナリストは長らく不在であった。現在わかっている限りでは、マンガイア島では700人足らずの住人

A.D.1200　　　A.D.1400　　　A.D.1600　　　A.D.1800　　　A.D.2020

たちが依然として開放的な性文化を営んでいるという。だが性的暴行の報告
も上がっている。男たちのなかには、女子どもを自分の意のままにできると
思い込んでいる者がいるのだ。

　エロティックな楽園など存在しない。この世のどこにも。

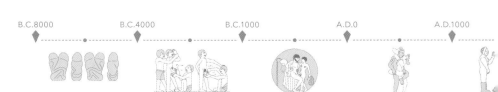

B.C.8000　　　　B.C.4000　　　　B.C.1000　　　　A.D.0　　　　A.D.1000

A.D. 1801

060 マルキ・ド・サドの性描写

　1801年3月6日、パリ警視庁が出版社ニコラス・マッセの事務所に押し入った。編集室に突入した警官たちは、61歳のドナシアン・アルフォンス・フランソワ・ド・サドの犯行現場を押さえる。

　サド侯爵は長編小説『ジュスチーヌまたは美徳の不幸』の校正作業中だった。これまでも匿名で作品を発表していたが、今作は出版後すぐに発禁となった。物議を醸した数々の作品の著者ではないかと睨まれていたサド侯爵だったが、ついに容疑を否認できないところまで追い詰められた。裁判による審理を経ることなく、牢獄へと送り込まれたのであった。

　公的には禁書として扱われていたサド侯爵の作品だが、19世紀初頭には文学正典として名が挙げられ、ナポレオン戦争を経てヨーロッパ全域に普及した。

　小説の筋はいずれも似通っている。子どもや乙女、修道女や夫に先立たれた女性といった寄る辺のない無力な人間が、冷酷で良心の欠片もない放蕩家に捕まり、薄暗い堅城の牢獄の中で倒錯的な主人に服従を強いられる。目、鼻、口、膣……およそ体の開口部のうち使われないものはなかった。『ソドム百二十日』という作品の1場面を例にとってみよう。

「昂奮した様子の公爵がソフィーを呼び、彼女の糞を口に受け入れた。それからゼラミールにソフィーの糞を食べるように命じた。司教も兄に倣い、か弱いゼラミールに糞をさせると、セラドンにそのコンフィチュール※を食べるように強要した。公爵と司教が放屁した。他の2人は放屁しようとしたが

※ジャムのこと

A.D.1200　　A.D.1400　　A.D.1600　　A.D.1800　　A.D.2020

できないか、放屁しようともしなかった。そうして4人は夕餉の時間になると食堂に向かった」。

　放蕩の限りを尽くす男たちだが、自然はなぜ彼らに弱き者を隷従させる役目を負わせたのか、そんな哲学的な議論を繰り広げる際には悪辣な行為も中断された。ダーウィンの登場よりも数十年先んじて、男たちは宣言した。「弱肉強食、強い者が生き残る」と。

　サド侯爵の作品は、犠牲者が無慈悲にも苦痛のうちに亡くなることで終わりを迎える。サド侯爵は若年の頃は美しい容貌をしており、人々は口をぽかんと開けたまま彼の姿を眺めていたという。実生活でも放蕩の限りを尽くし、鞭を愛好していた。だが、作品内で描かれた人を蔑む悪辣の数々は、公爵自身が実際に送っていた残虐な耽溺生活を映し出したものというよりは、度を超えた思考実験だった。啓蒙の時代を生きた自由思想家サドは、性と人間の深淵をはっきりと描き出しはしたが、道徳的な判断の一切が欠けていたのである。

　家族から圧力がかかり、1803年にサド侯爵の身柄は牢獄からパリ南方にあるシャラントン精神病院に移された。そこで彼は院長と親交を結び、劇団とともに道徳的教訓を含む演劇の演出を手掛け、従業員の娘と関係を持った。

　1814年に亡くなると、侯爵の遺骸はシャラントン墓地に埋葬された。だが彼の頭蓋骨──その脳内で嵐のように渦を巻いて吹き荒れる放埒的な着想を納めていた頭の骨は、医学標本として蒐集対象となったのであった。

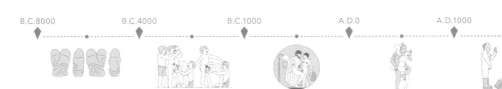

B.C.8000　　　　B.C.4000　　　　B.C.1000　　　　A.D.0　　　　A.D.1000

A.D. 1828

061 SMプレイの女王

　薄暗い廃墟の中で全裸の男が縛られて 蹲 （うずくま） っている。男が繋がれているのは木製の器具で、折りたたみ式のはしごと断頭台を足して2で割ったような外観だ。男は為すすべもなく、快楽の呻 （うめ） き声をあげる。胸を露にした売春婦が、男の前で膝をつき、男のペニスを弄った。男の背後に立つご主人様役の女が、鞭で男を打つ。何度も、何度も、男が目の前の女の胸に精を放つまで。飴 （あめ） と鞭ならぬ手扱きと打擲 （ちょうちゃく） 。成功の法則とは、かくあるべし（第14章「墓室に描かれたエトルリアのSMプレイ」参照）。

　テレサ・バークリーの回想録に記された1場面である。19世紀初頭のロンドンのメアリルボーン地区で彼女の営んでいたイメージクラブは、他に類をみない風俗店ということもあり、非常な活況を呈していた。

　当時のロンドンは、SM文化の都であった。イギリスの上流階級には、鞭打たれるのを好む者が少なからずいる。だが、その理由は判然としない。かの国の厳格な教育方針によってマゾヒストが生み出されたという説を唱える者もいる。教師から何度も杖で打たれるうち、生徒の心身が打擲に耐えようとするあまり、いつしか棒状の鞭に官能を連想するようになってしまったのではないか、というのである。

　もしかしたら大英帝国の紳士たちは、世界中を航海して回り植民地を制圧することにも、どこに行っても規則を打ち立て、支配力を行使することが自身の責務として負わされていることにも、単純にうんざりしてしまったのかもしれない。だから時に屈服させられ、権力のない、無力な、運命に身を委

A.D.1200　　　A.D.1400　　　A.D.1600　　　A.D.1800　　　A.D.2020

    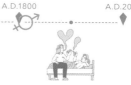

ねるだけの、ただの人間になりたかったのかもしれない。

　確実に言えることは、バークリーの得意客には貴族や上流階級が多かったということである。彼女は単に才能があっただけではない。非常に口が堅かったのだ。国王ジョージ4世までもバークリー、人呼んで「生まれながらの女王」のもとへ足を運び、尻の穴を鞭で打たせたとか。

　店の女主人自身も時には鞭を手放し、立場を交替し、主人に尻尾を振って擦り寄る奴隷になった。客がいつまでも満足しない場合、あるいは乱暴な振る舞いを見せたり、度を越えた要求をしたりした場合には、「苦痛代金」を請求し、従業員のうち特に頑丈な「片目のペギー」なる者を送り込んだのであった。

　懐の暖かい客たちがバークリーの店に気前よくお金を出すので、彼女の懐もまた潤っていった。快楽的苦痛を求める声が次第に大きくなっていったことから、バークリーは1828年に「バークリー・ホース」なる器具を発表した。冒頭に登場した木製器具のことだ。人類史上最古の打擲装置である。一度に2人の客にSMプレイを提供できるのが特徴だ。非常に効率的ではないか。

　客たちは感激した。バークリー・ホースの噂を聞きつけたSM愛好家がやってきて、とある提案をした。まともな者なら正気を疑う内容だった。

「血が流れたら、1ポンド。血が足まで伝ったら2ポンド。私の踵（かかと）が血で濡れたら3ポンド。床まで血が落ちたら4ポンド。私を気絶させることができたら5ポンドだ」。

B.C.8000　　　B.C.4000　　　B.C.1000　　　A.D.0　　　A.D.1000

A.D. 1832

哲学者フーリエの夢見た
生活共同体

シャルル・フーリエが夢見た館がある。その見取り図は、ヴェルサイユ宮殿を参照したものだ。空想の城の名は、「ファランステール」。男女810人ずつが暮らしている。フーリエは、この世には810のタイプの人間がいるという見解を持っていた。合わせて1620人が共に働き、共同生活を送り、互いに愛し合う。

フーリエは、人間が太古から抱き続けてきた疑問の答えを求め続けていた——よりよい世界というのは、存在し得るのだろうか？

1772年生まれのフーリエは、フランスの社会哲学者にして空想家（ユートピアン）であると同時に、行動の男であった。

1832年11月15日、ファランステール1号館が現実に建った。計画よりも少々小さくなってしまったのが玉にキズだ。パリから西に60キロのところにあるコンデ＝シュル＝ヴェグルの地に構える2階建て、20部屋の建物だ。ヴェルサイユには及ばないが、夢の実現の始まりだ。フーリエが何十年も練ってきた着想を、ついに実地で試すときがきたのだ。

たとえば男女同等の権利も、彼の着想のなかにあった。「フェミニズム」という概念を女性権利運動の文脈のなかで用いたのは、フーリエが最初であったという。それ以前の「フェミニズム」は医学的専門用語で、男性の肉体が何らかの病理によって女性化することを指していた。フーリエが作りたかったのは、社会的圧力や身分階級のない共同体である。誰もが農耕や手工業に携わりながらも、自分自身の個性や人格を磨くだけの時間も充分にある

A.D.1200　　　A.D.1400　　　A.D.1600　　　A.D.1800　　　A.D.2020

社会だ。

　また、新しい「夫婦」のあり方や、自由な恋愛も大事な問題であった。1829年の著作『愛の新世界』には次のような一節がある。

「文明が始まって以来、哲学者たちが1人の例外もなく思い違いしている点がある。彼らは愛というものを考えるとき、男女の組み合わせのみに限定して思考していたのだ」。

　ファランステールでは、誰もが自由に相手を選ぶことが許されていた。叱責や罰則を恐れることはない。「他者の病的な独占欲」や、異性愛しか認めない「性的ジャコビニズム」もない。膨大な数の人々が婚外関係をもっていることから、誰しもが当事者同士の合意のもとに複数と関係を持つ「ポリアモリー」となることができる。

　そうフーリエは結んでいる。また当時は倒錯的とされていた指向、すなわち同性愛（ホモセクシュアリティ）や、サディズム・マゾヒズム（第65章「ザッヘル＝マゾッホの描く快楽的苦痛」参照）やトランスセクシュアリティなどについても、人間の愛欲の正常な形であると述べた。

　情欲とは自然的な欲求であり、満たすべき渇望であるというのがフーリエの見解だった。だからこそファランステールで乱交会を開催しようともした。

「我々は生まれながらにして、複数の人間との愛を愉しむ傾向にある。ちょうど食事であれこれ色んな料理を味わいたがるように。羽目を外し過ぎるようなら叱責しなくてはならないが、バランスがとれているのであれば称賛すべきことだ」。

　ファランステールという調和のとれた世界においては、乱交は無秩序な集団性交渉ではない。秩序正しく統制がとれており、構成が組まれ、特定の状況に合わせて調整された行為のことをいう。たとえば、フーリエは挨拶乱交なるものを検討していた。新しく仲間に加わる者を迎え入れるため、また新

B.C.8000　　　B.C.4000　　　　B.C.1000　　　　　A.D.0　　　　　A.D.1000

参者と体の相性のよい者を見つけ出すことが目的だ。

　コンデ゠シュル゠ヴェグルの生活共同体ファランステールには60人ほどが暮らしていた。共同生活の初めに挨拶乱交なるものをおこない、互いに親密な関係を持ったのかは不明である。

　自由恋愛・自由生活の実験は、実のところ成功したとは言い難い。1936年にファランステール1号館は閉鎖される。フーリエはというと、開館から1年後にはすでに手を引いていた。自分の着想を実現させるだけの能力が同志にはないと判断したからだ。

　フーリエは1837年に亡くなる最後の日まで、愛欲に満ちた、より幸せな生活の実現は——それを本当に望むのであれば——可能であると信じていた。「自分の天分には素質がほとんど与えられていないというのは、大きな思い違いである。我々の望みや欲求を満たして余りあるほど潤沢な素質が天性に付与されているのだ。その芽を見つけ出し、大きくさせるのが、あなたたちの仕事だ」。

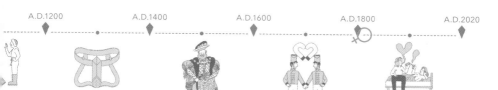

A.D.1200　　　A.D.1400　　　A.D.1600　　　A.D.1800　　　A.D.2020

A.D. 1849

063 文豪フローベールのセックス旅行

「固く引き締まった肉体、青銅色（ブロンズ）の尻、股間の茂みは剃られ、豊満な肉体の
わりには乾いていた……」。

　1849年12月4日、フランスの大作家ギュスターヴ・フローベールが日記
に綴った一節だ。エジプトを訪れていたフローベールは、カイロでの最初の
晩をオリエント・ホテルで過ごさず、近くの娼館にしけ込み、トルコ人の売
春婦と「敷織物の上で」お楽しみに耽った。

　フランス農務省の委託を受けたフローベールは、数か月をかけて異国情緒
漂うエジプトの地を巡った。アレクサンドリアから入り、カイロを経て、東
部のアル・クセイルに至ると、また元の旅程を辿っていった。農作物の収穫
量に関する統計資料を作成することが仕事だ。政府の指示書なんてものは「ト
イレットペーパーに使って」やりたいと、当時28歳だったフローベールは、
フランスの友人に宛てて記している。

　彼は農園の状況なんてものに興味はなかった。エジプトの寝室で何が起
こっているのか、そちらに関心が向いていた。フローベールに言わせればヨー
ロッパは「お高くとまった連中を閉じ込めた牢獄」であった。ここ東方の地
で大作家が求めていたのは、エキゾチックな官能とエロスだ。

　不感の西洋（オクシデント）と淫靡（いんび）な東洋（オリエント）。

　フローベールの期待は裏切られなかった。自分の足で刺激的な出来事を探
しに行かずとも、通りや町なかで淫らな行為を見かければ観察し、その様子
をメモにとった。

B.C.8000　　B.C.4000　　B.C.1000　　　A.D.0　　　A.D.1000

カイロでは、自分の母を売りに出す少年がいた。

「5パラ※くれたら、うちの母さんを連れてくるから、やっていいよ。あんたに幸あれ、特にアレが長いことを祈ってるよ！」

　また、町のあちらこちらで語られる猥談にも積極的に耳を傾けた。ロバとじっぽり快楽に耽る医師の冗談や、はたまたイスラム教の聖者の逸話を聞いた。その話によると、マラブーが「一糸纏わぬ姿になり、頭の上と、股間の前に1個ずつ帽子をかぶせて、通りを練り」歩いていたという。用を足そうと股間の帽子を取ったところ、不妊に悩む女性たちがしゃがみ込んで、小水を「自身の体に浴びせた」そうだ。

　フローベールが特に魅了されたのが、売春宿であった。エジプト南部の村エスナでは、リュシウク・ハネムという名の高級娼婦の店へ何度も足を運んだ。店の女主人自らがエジプトの伝統舞踊「蜜蜂の舞」——現代でいうところのストリップショーであった——を踊りながら服を脱いでいき、最後には暗紫色の薄紗（ヴェール）1枚になったのだった。フローベールは心奪われ、虜（とりこ）になった。「常にはない、嵐のような激しい性交の後、彼女は眠りに就いた」と彼は綴った。「睾丸の上に、彼女の腹を感じた。股間の茂みは、腹よりも熱を含んで温かく、熱い鉄のように私を温めた」

　フローベールの旅行計画には、同性愛体験も含まれていた。

「我々の旅の目的は教養を積むことと、そして政府に委託された仕事を果たすことであった。ゆえに、こういった形で発散することを自分に許すことは、我々の義務でもあったのだ」。

　フローベールが特に心動かされたのは、年若い踊り子との官能的なひと時であった。また公衆浴場（ハンマーム）でも、同性愛的なひと時を体験した。マッサージ師が、彼の「愛の玉（ブーレ・ダモール）を洗い清めようと手に取った」。そして「右手で私の竿（さお）を引っぱり始めた。竿を上に下にと引きながら、私の肩にもたれかかり、『バクシー

※当時カイロで鋳造されていた通貨の単位

シュ、バクシーシュ』と言った」。「バクシーシュ」とはチップのこと。そう、マッサージ師はチップの支払いを求めたのだ。だがフローベールは払う意思がなかったので、そのまま立ち去った。

　フローベールの日記には、エジプト人の情熱と器の大きさに感銘を受けたことがはっきりと記されている。もしかしたらエジプト旅行での経験は、文学作品のなかにも根を下ろしたのかもしれない。

　旅から7年後、フローベールは『ボヴァリー夫人』を発表した。作品は反響を呼び、物議を醸したが、同時に世界中で読まれるようになった。美しき女性エマ・ボヴァリーが、自由奔放に愛欲生活を楽しむ物語である。

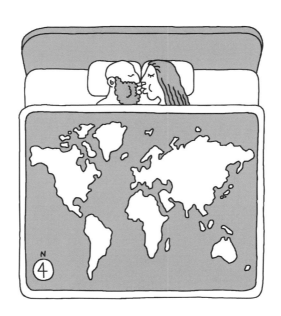

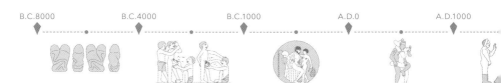

A.D. 1855

チャールズ・グッドイヤー、コンドームを発明する

「主を褒め称えずとも、ゴムを見つけられる者はいないのか？」

チャールズ・グッドイヤーは叫んだ。

アメリカ・フィラデルフィアで金物屋を営んでいた彼は、（やや控えめな言い方をするのであれば）ゴムの原料である天然ゴムに投機の可能性があると踏んでいた。19世紀初頭、南米のパラゴムノキの樹液から簡易なレインコートが製造され始めていた。問題は、生ゴムが冬には寒さで石のように固くなり、夏には粘着性のある塊に変化してしまうことであった。

ゴムの柔軟性を損なうことなく、この素材の持つ弾力を強化する方法はないものか。グッドイヤーは発狂寸前であった。あるときなど、債務が払えずに収監されたこともあった。

1830年に天然ゴムの存在を聞き知って以来ずっと、グッドイヤーはこの問題に取り組んできた。新聞記事を読み漁_{あさ}り、化学の基礎知識を叩き込んで、本職の仕事を疎かにするほどだった。しかも、家族が隣人から施しを受けるのを容認すらしていた。食事のためのお金など、持ち合わせていなかったからだ。おまけに台所は生ゴムの実験に使われていた。失敗と事故を何年も繰り返し、もう止めてしまいたい気持ちも募ってはいたが、踏みとどまって試行を続けた。

伝えられるところによると、ある日妻が予定よりも早く帰宅した。グッドイヤーはちょうど硫黄_{いおう}と生ゴムを練っているところだったが、妻の帰宅に気づいて、熱々のストーブにそれを隠した。これが加硫法の生まれた瞬間であっ

A.D.1200　　A.D.1400　　A.D.1600　　A.D.1800　　A.D.2020

    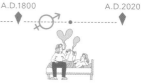

た。生ゴムに時間をかけて、熱と圧力を加えることで弾性力を強化できるのだ。ついにグッドイヤーの夢をかなえる素材が生み出されたのである。

ゴム・フェチになったグッドイヤーは、ゴム製のオーバーシューズ、名刺、カーテンを作り、1855年には、世界初の生ゴムコンドームを発表した。イチモツを縦に覆う厚さ2ミリのゴム越しの感触を味わいながらの性交渉──まさしく文明人にふさわしい飛躍的な進歩であった。

そもそも人類は長い歴史のなかで避妊具の構想をあれこれと練ってきた。クレタ島のミノス王──ゼウスとエウロペの息子──は伝説によると、魚の浮袋から作られたコンドームを使用していたという。自身の患う性病から、恋人たちを守ってやるためだった。その性病は、精液の代わりに蠍を射出するというものであった。

コンドームの存在が初めて文献に現れたのは、医学的な文脈においてのことである（教会が避妊具の使用を禁止していたのは言うまでもない）。イタリアの医師ガブリエレ・ファロッピオは1564年、『フランス病について』という本のなかで、梅毒やそのほかの性病に打ち勝つために、化学溶液を浸み込ませた亜麻布の小袋を使うことを推奨している（第93章「あるベルリンの医師のHIVとの闘い」参照）。

それから約100年後の1671年、フランス貴族セヴィニエ侯爵夫人マリーは娘に宛てた手紙のなかで以下のように綴った。

「コンドームというものは愛欲の前に立ちはだかる要塞のようではありますが、危険を捕らえるための蜘蛛の巣にしか過ぎないのですよ」。

歴史が進むにつれ、避妊具市場は次第に拡大を始めていった。伝説的な女たらしカサノヴァ（第57章「イタリアが生んだ色男カサノヴァの女性観」参照）は、ロンドンで女性2人が営む専門店からコンドームを取り寄せて購入していた。

コンドームは、なぜそういう名前なのか、どんな意味があるのか。答えは

B.C.8000　　　　B.C.4000　　　　B.C.1000　　　　A.D.0　　　　A.D.1000

わかっていない。イギリス王チャールズ2世（1630〜1685）に牡羊の腸から作られた避妊具を渡した侍医の名前がコントーム、あるいはコンドームであったと伝えられてはいるものの、そんな名前の医師の存在を裏付ける資料がないのだ。

　さて加硫法を発明したグッドイヤーだったが、それで人生が上向きになるわけでもなかった。生ゴムの特許で大金を稼ぐことはかなわなかった（どう考えたって、ゴム製の名刺に需要があるわけがなかった）。

　かの有名なタイヤメーカーが創設されたのが1898年、グッドイヤーの名を冠してはいるものの、それはゴム製品開発の草分け的存在となった彼の功績へ称賛の意を表するだけのものであった。

　コンドームの大量生産が始まったのは、1870年のこと。その頃にはグッドイヤーは他界していた。化学の実験を繰り返していたことで、健康が大きく損なわれてしまっていたのだ。

　人類に豊かな贈り物を授けたというのに、憐れな男である。

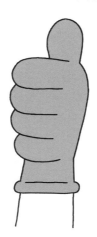

A.D. 1870

065 ザッヘル゠マゾッホの描く快楽的苦痛

「あの得も言われぬ陶酔が、私をとらえた。『打ってください』。私は懇願した。『どうか打ってください。情けは無用です』。ワンダが鞭を振るい、私を2度打った。『足で踏んでください！』。私は叫び、彼女の前に身を投げ出し、顔を地面に押しつけた」。

　オーストリアはレーオポルト・フォン・ザッヘル゠マゾッホの1870年の小説『毛皮を着たヴィーナス』の引用である。この作品が世に出されたとき、痛みを求め、それを与えてくださいと懇願する言葉も、それに応じる官能器具も存在していなかった。苦痛に快感を覚えながらも、上流階級という限られた社会（第61章「SMプレイの女王」参照）に属さない者たちにできたのはせいぜいのところ、1594年に世に出たアントニオ・ガロニオ『殉教者たちの拷問』など、残酷で異質だが官能的な拷問場面を描いた図を収録した歴史書を通して、その手の知識を養うくらいであった。

　こうした、ひと味異なる性癖を題材とした作品は『毛皮を着たヴィーナス』が初めてであり、今日まで続くSMサブカルチャーの土壌が作られると同時に、サドマゾヒズムを病理とする動きの根が下ろされてしまったのである（第97章「通信販売でSMプレイ」参照）。

『毛皮を着たヴィーナス』は、夫に先立たれた裕福なワンダ・フォン・ドゥナーエフと、夫人の奴隷の青年ゼヴェリーンの物語である。2人の関係は、非常に入り組んでいた。年上のワンダが、青年を鞭打つ。だが青年が、それで満足することはなかった。本作の登場人物が裸になる場面は皆無に等しい。2

| B.C.8000 | B.C.4000 | B.C.1000 | A.D.0 | A.D.1000 |

人が性交渉をすることもない。なのに折檻^{せっかん}の場面に込められた官能性を、はっきりと感じることができるのだ。

SM官能小説であり、高尚な文学でもある本作は、発売されると瞬く間に上級階層が買い求め、売れ筋となった。『毛皮を着たヴィーナス』はSMプレイの案内書として非常に有用であり、多くの読者が、登場人物たちと同じ情欲を実際に味わってみようと行動を起こした。発売から1か月のうちに多くの人の目に触れ、なかにはザッヘル＝マゾッホ読者倶楽部の会員になる者もあった。

作者自身の成功物語は悲惨な結末を迎える。作家としては頂点を極めるも、最初の妻とは離婚、これを機に家庭内「薔薇戦争」が巻き起こり、故郷グラーツであれこれと噂されるようになった。自身が交渉を優位に進めるため、元妻のアンゲリカ・アウローラ・リューメリンは、作家マゾッホとの生活の仔細を赤裸々に語り、人気作品のなかでワンダとゼヴェリーンがローマの地で交わした契約によく似た性奴隷契約の存在を明らかにした。

彼女のリークにより人気作家の私生活と性生活が公衆に晒されたのと時期を同じくして、こちらもグラーツ在住の性科学者リヒャルト・フォン・クラフト＝エビングが1886年に研究書『性的精神病理』を発表した。この研究書のなかでは、「残虐で暴力的な行為を受動的に耐えることと、快楽とが結びつくのは」正当な行為とはいえず、深刻な精神障害であると記されている。エビングは、マルキ・ド・サドにちなんで「サディスト」の名を作り（第60章「マルキ・ド・サドの性描写」参照）、痛みに快楽を覚える人々のことはマゾッホにちなんで「マゾヒスト」と名付けた。

カール・クラウスやテオドール・レッシングといった作家仲間が、マゾッホに対する誹謗中傷を防ごうと試みたものの、成果は得られなかった。打ちのめされた男マゾッホが亡くなったのは、それから9年後のことである。

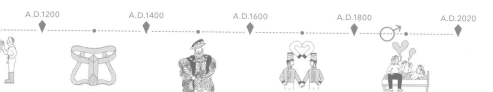

A.D.1200　A.D.1400　A.D.1600　A.D.1800　A.D.2020

A.D. 1875

066 アフリカのオーガズム道

　国王がどこか戦場へ出てしまった。歴代の王たちもそうしてきたように。退屈を感じた王妃は、宮殿の番兵カマゲレを呼び出すと、自分とひと晩を過ごすように命じた。カマゲレは、王妃の命令に従った。王家の命令に逆らうことなんて、そう簡単にできることではない。

　だが夜になると、番兵は全身を震わせた。国王から受ける仕打ちを恐れたのだろう。また、王家の私的な領域に入り込んだことへの畏れもあったのだろう。ともかくも、カマゲレはいつものように行為を進めることができなかった。何度試みてもペニスが目的を果たそうとしない。ついには荒々しく滅茶苦茶に動き始めた。傍からみれば奇妙な光景であったろう。だが王妃はオーガズムに達したのであった。

B.C.8000　　　B.C.4000　　　B.C.1000　　　A.D.0　　　A.D.1000

言い伝えによると、この夜にアフリカの性愛技巧「クンヤザ」が生み出されたという。

　ルワンダ王国第3王朝の末裔にして、1853年から1895年に王位にあったキゲリ4世の治世のことである。キゲリ4世は戦士王として名高く、ドイツの植民地主義者たちから武器を共有してもらうことで王国を強大にした。だが夜に妻を1人にすることも多かったという。

　番兵カマゲレは、意図せずに人類が抱えてきた問題の解決法を見つけ出したのである。女性が絶頂に到達するには、主に陰核を刺激してやらねばならない。フツーにセックスするだけじゃあ、陰核を刺激するなんてなかなかできるもんじゃない（第73章「フロイト監修オーガズム研究」参照）。

　だがクンヤザは、最初に女性の中に男性自身を挿入させる。それから引き抜いて、ペニスで陰核や陰唇、そのほか膣まわりを擦ったり、軽く突いたりするのだ。クンヤザとは「放尿させる」という意味である。女が潮を吹いたら男が動きを止めることから、そう名付けられた。

　クンヤザはやがて東アフリカ全域に広まり、ついにはヨーロッパにも愛好家が現れるようになった。だが元々の技巧から、濃度が少し薄くなったようである。女性のオーガズムは多種多様であることが認められてきたためだ。女性を満足させるのに、潮吹きは必要なことではない。少なくともクンヤザの師匠たちが当初言っていたように、3リットルというえげつない量の潮を吹かせる必要はない。

A.D. 1883

婦人科医師、
バイブレーターを発明する

　ジョセフ・モーティマー・グランビルが仕事を通して、いったいどれだけの女性をイカせたのか定かではない。彼自身が紳士であったので、口を噤んでいたのだ。おそらく数百人にのぼるだろう。

　1833年生まれのグランビルは、イギリスの医師であり、発明家であった。ロンドンに診療所を構え、妊婦を診察し、性病を治療し、経験豊かな患者のヴァギナを刺激して絶頂に導いていた。グランビル自身は診療そのものに大きな喜びを得ていたわけではなく、人類の歴史上長きにわたる医療の慣習に則って業務に対応していた。

　紀元前3世紀にすでにヒポクラテスが「ヒステリー」という病気について言及している。女性のみが発症する病で、鬱、不眠、神経衰弱、果ては知的障碍、性欲異常亢進、官能的な幻覚にわたる症状が現れるという。ヒステリーの語源はギリシア語で子宮を意味する「ヒュステラ」である。ヒポクラテスは、ヒステリーと呼ばれる婦人病の因子が子宮にあり、女性の体液の滞留を引き起こすものと考えていた。それが具体的にどういうことなのかは、一切説明されていない。

　古代からルネッサンス期に至るまで、ヒステリーという散発的な精神疾患に処方すべき最良の薬はオーガズムであると学者たちは考えていた。たとえばオランダの医師ペトルス・フォレストゥスは1653年に、油を塗った指で大胆に刺激を与えてやることで、病の症状が治まっていくと記した。「ヒステリーの爆発」が起こると——つまりオーガズムに達すると——憐れで気の

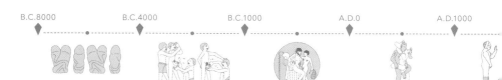

B.C.8000　　　　B.C.4000　　　　B.C.1000　　　　A.D.0　　　　A.D.1000

毒な女性たちも再び落ち着くようになるというのである。

　イギリスの解剖学者ナサニエル・ハイモアは1660年に、ヒステリーの治療法を習得するのが困難であること、とりわけ患者ごとに効果のほどが異なることについて苦言を呈した。意気消沈した彼は、ヒステリー治療という大仕事を「片手で腹を、もう片方の手で頭を擦ってはしゃぐ小僧どもの遊び」と揶揄したのであった。

　17世紀にはイギリスの医師トーマス・サイデンハムが「熱病のごとく拡大感染する病」と呼び、19世紀にはヒステリーは流行病のごとく蔓延した。婦人科を訪れる患者数は日ごとに増していき、初診だけで済む者は少数であった。かくして医療産業界は、短期で女性を治療することのできる技術を模索することになった。

　18世紀には、シャワーチェアに座っておこなう水治療法が実施されていた。だが治療器具の設置は、絶えず水を流し続けられるだけの資金のある診療所や病院に限られており、いわゆる贅沢品であった。1860年、アメリカの医師が「マニピュレーター」を発表。ペダルと蒸気機関を用いて動かす棒で、診察台に乗った患者を刺激することのできる機器だ。如何せんサイズが尋常でないほど大きく、また高価な代物であった。

　グランビルもまた、数多の女性たちのヴァギナを刺激したことにより腕の疼痛に悩まされることになった。だがグランビルという男、ただの良医ではなかった。発明家としての才能にも恵まれていた彼は、暇を見つけては自分の代わりに女性たちを満足させてやれる案はないかと画策していた。

　1883年、ついに突破口が開けた。グランビルが開発したのは、穿孔機型の器具であった。15センチほどの長さで、先端には球体がついており、スイッチを押すと痙攣するように動き始める代物だ。マンガン電池を数個搭載した箱からエネルギーが供給される。世界初の電動式バイブレーターである。グ

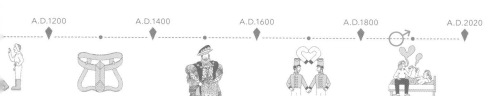

A.D.1200　　　A.D.1400　　　A.D.1600　　　A.D.1800　　　A.D.2020

169

ランビルの平均診療時間は、これまでの最長1時間から10分ほどに短縮された。

この発明品はフランス語で「撃針」を意味する「ペルキューテル」と名付けられた。一般には「グランビル・ハンマー」と呼ばれ、旋風を巻き起こした。医師たちはこぞってグランビル・ハンマーを求めた。そして患者たちも。

グランビルは、この発明によりひと財産を築いた。ところが、発明した当人は誓って、女性たちのためにペルキューテルを発明したわけではないと言い張った。男性患者の骨格筋組織の凝りを解すことが本来の目的であったのだ、と。

ともかくもペルキューテルの模倣品が現れるのに時間はかからなかった。1900年のパリ万国博覧会では、十数種ものバイブレーターが展示された。アメリカの画報には、バイブレーターの広告がいくつも掲載された。1918年にはシアーズ・ローバック社の電気製品カタログが、「すべての女性に重宝される」バイブレーターモデルを掲載。ミキサー、研削盤、換気装置としても使える優れものだ、という謳い文句であった。バイブレーターは性玩具というよりは、良好な精神状態を保つための道具だったため、卑猥な器具とは見られていなかった。

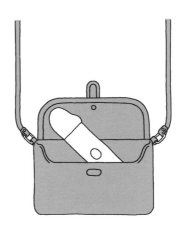

1920年代の末に『未亡人の悦び』なるポルノ映画のなかの女性たちがバイブレーターを使って昂奮する姿を目にし、男性たちは初めてペニスを挿入することに一抹の不安を覚えた。映画の公開から瞬く間に、店頭からバイブレーターは姿を消した。

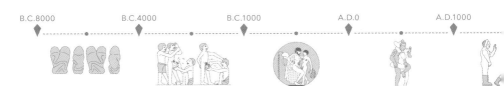

A.D. 1890

068

イギリス皇太子の生み出した
愛の椅子

　ウェールズ大公アルバート・エドワード、通称バーティは、狩りを愛し、1日に20本の煙草_{たばこ}と12本の葉巻を嗜んだ。イギリス王家の皇太子であった彼は、流行にも敏感で、1日のうち6回も着替えをした。その旺盛な食欲はもはや伝説で、立派な腹まわりがすべてを物語っていた。

　未だ王位に就いていなかったこの男、非常に貪欲であった。妻のデンマーク王女アレクサンドラと円満な結婚生活を送る傍らで、数えきれないほどの愛人を抱え、定期的に売春宿に通っていた。皇太子のお気に入りの売春宿はパリの「ル・シャバネ」という店だった。ヒンドゥー教寺院やヴェルサイユ宮殿、ムーア人のオアシスなど、テーマごとの雰囲気を味わえる部屋を備えており、ロールプレイを愉しみたい者には夢のような店であった。

　北の島国からやってきた貴族エドワードには個人用のスイートルームが用意されていた。壁にはイギリス王室の紋章が光り輝き、巨大なベッドと銅製の浴槽を設_{しつら}えていた。シャンパンで満たした浴槽の隣には、このエドワード個人用の部屋の核を為す存在が鎮座していた。パリの椅子職人ルイ・スブリエによって製作された、「愛の椅子（フォトゥイル・ダムール）」である。

　これは金の留め具と華美な装飾の施された高級「性」家具で、上下2つの部位から成っていた。下の土台は座高の低い寝椅子の形状をしている。そのすぐ上、100センチも離れていないところに、婦人科で使用される椅子と玉座を足して2で割ったような形状の台がある。ル・シャバネに勤務するプロたちは、上下どちらの台でも腰を下ろし、金めっきの施された滑り止めの金

A.D.1200　　　A.D.1400　　　A.D.1600　　　A.D.1800　　　A.D.2020

具に両脚を載せる。椅子には垂直に伸びた2本の長い取っ手が付属されており、これを両手で握りながら、エドワード皇太子は「愛の椅子」の前に立ってつとめを果たしたのであった。

「愛の椅子」を使用することで、下の台に身を横たえる女とのコトが済んだら、そのまま時間を浪費することなく上の台の女との行為に移ることができるようになった。これをどう思うか、どうとでも好きに言えばいい。だが効率的なデザインであることは否めない、おまけに売春婦たちは、皇太子の豊満な肉体に押し潰される心配をせずに済む。

息子エドワードの淫らで羽目を外した生活を、両親は快く思ってはいなかった。母ヴィクトリア女王などは、こうぼやいたものだった。

「私はあの子を見て、身震いせずにはいられないのです」。

エドワード7世、通称バーティが、母の逝去後にイギリス王座に就いたのは1901年のことで、すでに59歳であった。王冠と権力を手に入れるまでの待ち時間は長かったが、どうやら退屈することはなかったようだ。

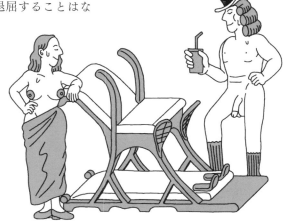

B.C.8000　　　　B.C.4000　　　　B.C.1000　　　　A.D.0　　　　A.D.1000

水兵服とホモセクシュアリティ

　1910年1月12日、サンフランシスコのモントゴメリー通りを、フランシス・スミスとメイ・バークが連れ立って歩いていた。朝の早い時刻のこと、2人はもう長いこと外を歩いているのか、それともちょっとパン屋に向かって歩いているだけなのか。この2人の女性たちはどこから来て、どこへ行くのか。それはあまり重要なことではない。

　翌日、《イブニング・ニュース》紙が2人のことを報じた。フランシスが連れのメイを気遣いながら「紳士的に」リードしている様子が、人目についたようなのだ。しかもフランシスは水兵の制服を身につけていた。《イブニング・ニュース》紙が報じたところによると、フランシスとメイは「女性の散歩に通じた」3名の警官たちに職務質問され、逮捕されたという。女性たちは2人とも成年には達していなかった。フランシスは「男装をした」かどで処罰を受け、メイのほうは「ふらふらと歩いていたこと」を理由に公訴された。

　2人が実際のところ恋人同士であったのかは、現場を再現してみたところでわからない。この頃、自身の男性的な側面を際立たせようと、水兵服を身につける女性たちが現れ始めていた。フランシスもその1人であった。水兵服は、開放的なエネルギーのある服装であると、同性愛者のあいだでトレンドとなっていたのだ。

　船乗りは肉体的な力と気合の必要なきつい仕事をこなしながらも、昔からイヤリングや刺青などの装飾品を好んで身につけていた。いかにも男らしい

仕事と、装飾品という女性的な特性が融合した存在が船乗りであり、大陸から大陸へと移動しながら人生を送る、自由な根なし草。道路交通法も風俗法も、陸地にはびこる規則規範なんて意にも介さない。そもそも沖だろうが、カリブ海だろうが、上海近海（シャンハイ）だろうが、船の上で水兵が何をしているかなんて誰も知ったこっちゃない。

　レズビアンであったフランスのシャンソン歌手シュジー・ソリドールはナイトクラブ「ラ・ヴィ・パリジェンヌ」で、青と白の水兵風のドレスを身に纏い、荒々しい船乗りの歌を朗々と歌った。芸術の大家ジャン・コクトーと恋仲にあった者の1人に、水夫のジャン・デボルドがいる。コクトーは、制服を着て挑発的なポーズを取る彼の姿を何枚もの絵に残した。さらにはトーマス・マンの小説『ヴェニスに死す』の主人公グスタフ・フォン・アッシェンバッハが心奪われた美少年タッジオは、浜辺でストライプの入った船乗りの制服を身につけていた。

　20世紀に入ってすぐに水兵服は、新しい陸地への航路を切り拓（ひら）かんとする同性愛者たちにとって、自分のアイデンティティを表に示すための共通の制服となったのである。

B.C.8000　　B.C.4000　　B.C.1000　　A.D.0　　A.D.1000

A.D. 1919

070 傷心画家が追い求めた 理想のダッチワイフ

「喪に服するため頭にかぶった黒いヴェールに覆われた 顔_{かんばせ} の美しく、誘惑的であること！　私は魔法にかけられたかのように魅せられてしまった！」

　1912年オスカー・ココシュカは、アルマ・マーラーに出会った。偉大な作曲家グスタフ・マーラーの妻である。夫に先立たれた若き妻の姿に、ココシュカはひと目で恋に落ちた。当時26歳、表現主義の画家ココシュカは、アルマの義父にしてオーストリアの芸術家カール・モルに高く買われており、義理の娘アルマの絵を描くように依頼を受けたのであった。

　ココシュカと出会ってからの3年間を、アルマは「誇り高き愛の闘い」と綴った。ココシュカは病的なまでに嫉妬深く、「ウィーンでいちばんの美女」にとり憑かれた様相であったのだ。

「一瞬たりとも私から離れていてはいけないよ。私の傍にいようといまいと、常に私へと、すなわちあなたのいるべきところへと、視線を注ぐこと」。

　夜を共にしない日は、彼はアルマの姿を描いた。ココシュカは何度も何度も結婚を申し込み、アルマも何度も何度も断った。1912年にアルマは妊娠するも、堕胎する。だがココシュカがこれを知ったのは、しばらく経ってからのことであった。2人は言い争い、ついに 袂_{たもと} を分かつこととなった。この時期、『アルマ・マーラー、ココシュカの腸を紡ぐ』なる絵が描かれた。

　1914年の夏に第1次世界大戦が勃発し、ココシュカは志願兵として竜騎兵隊「ヨーゼフ大公15番隊」に加わり、ウクライナをはじめとして各地の戦線に出た。彼は頭部に重傷を負うも、かろうじて生き延びた。1915年8月、

A.D.1200　　　A.D.1400　　　A.D.1600　　　A.D.1800　　　A.D.2020

アルマは建築家のヴァルター・グロピウスと結婚し、2人の子どもを授かる。ココシュカの愛は終わりを迎え、このことで彼は何年も苦悩を抱えるようになった。

　1918年の冬に戦争が終結すると、ココシュカはミュンヘンの人形作家であるヘルミーネ・モースに妙な仕事を依頼した。「ウィーンでいちばんの美女」を模した等身大の人形の制作をと。茶色の包装紙に、ココシュカはまずアルマの容貌を描いた。それから12回にわたって手紙を送り、細かい指示を与えた。

「皮膚の上から脂肪や筋肉を感じたかと思えば不意に腱の感触が現れる。そんな触感を堪能できる仕様にしてください。皮膚には、あなたの持つ素材のなかで最も薄いものがいいでしょう。梳毛糸と絹糸の交織地か、薄い亜麻布のどちらかですね。小さく継ぎを当てながら型を作ってください」。

　ココシュカは、どんなに細かい点も見逃さなかった。

「口は開きますか？　歯と舌はちゃんと口の中にありますか？　頼みますよ！目の角膜は、爪に塗るエナメルを塗ればよいでしょう。手をかざして瞼を閉じてやることができたら、素敵でしょうね。頭部には糸を縫い付けるのではなく、本物の髪を嵌め込んでくださいね」。

　ココシュカが求めたのは、本物とまごうほどの触感の人形であった。人形の皮膚にできれば縫い目をつけないように、彼はモースに依頼をした。

「そうすれば悲しみに襲われることも、私が愛を注ぐ女がただの粗末な布人形だという事実を思い出すこともないでしょうから」。

　また布の中身も、アルマの肉体の中身と正確に同じように作るべしと言い張った。

「これを言うのは恥ずかしいのですが、重要なことなのです……。陰部（バルティ・オントゥーズ）も完璧に仕上げてください。恥毛もつけるのです。でなければ女性とはいえな

B.C.8000　　　　B.C.4000　　　　B.C.1000　　　　A.D.0　　　　A.D.1000

い、ただの化物になってしまいます」。

　1919年2月22日、ついに依頼の品物がドレスデンのココシュカのもとに届けられた。後に彼が語ったところによると、封を開けると不細工な布と木毛の塊が現れたという。手足は小麦の詰まった靴下のようで、均整なんてものはない。肌は白熊の毛皮のよう、あちこち編み合わせた針金や、留め針、縫い目だらけの物体であった。

　期待が外れ、ココシュカはがっかりした。人形には、アルマを思わせるも

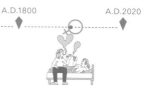

のが欠片もなかったのだ。闘うことなく愛を交えるという彼の夢は潰えた。
だが、人形に罪はない。彼は布の死骸をなんとか生き返らせようと試みた。
高価な服や下着を着せて、人形と車に乗って劇場に行ったという。ココシュ
カと仲のよかった作家クルト・ピントゥスは、友のアトリエを訪れたときの
ことを後に次のように語った。

「丸テーブルの向こうに置かれたソファの上にいたのは、人間大の、仄かに
白く光る肌をし、栗色の髪をかぶり、肩に青い上着をかけた人形であった。
性愛物にして、人工の女、理想の恋人、理想のモデルだ」。

　だがココシュカもついには幻にとり憑かれた生活に、自ら終わりを告げる
ことにした。

「彼女の姿を何百回とスケッチし、絵に描いて、ようやく諦める決心がつい
た。人形が、私から情熱をすっかり抜き取ったのだ。室内楽を流し、シャン
パンを開けて盛大に祝いながら、女中のフルダが最後に美しい衣装を人形に
着せてやっているのを眺めた。夜が明けると、庭で人形の頭を切り落とし、
その上から赤ワインの瓶を投げ落として粉々に砕いてやった。翌日、庭に通
じる門の前を通りかかった警官たちが（彼ら曰く）服を脱がされ血まみれに
なった女の死体を見つけ、恋人殺しの容疑で家の中に突入してきた。あなが
ち思い違いでもあるまい。あの晩、私はアルマを殺したのだから」。

B.C.8000　　　　　B.C.4000　　　　　B.C.1000　　　　　A.D.0　　　　　A.D.1000

A.D. 1920

071 ベルリンいちの魅惑の花形女優

　真の花形女優は、珈琲や紅茶といったツマラナイ飲みもので1日を始めたりしない。オープンサンドイッチなんてものも口にしない。

　ベルリンの女優にして、ナイトクラブの若きダンサーのアニタ・ベルバーは、普通とはちょっと違う朝食を摂ることで、自己を演出してみせていた。1920年代のこと、彼女はエーテルとクロロホルムを混ぜたグラスの中に白い薔薇を浸し、麻酔カクテルを滴らせる花弁を食すのを日課としていた。魔法の薬の効果で気分が高揚し、どんなに自信を喪失していたとしても、不安も不満も消え去っていく。あるとき、こう語ったという。

「みんながみんな、あたしみたいな体をしていたら、きっと裸で歩き回るでしょうよ」。

　そんなベルバーはしょっちゅう黒貂の毛皮のコート1枚を肌身につけて外出しては、昼日中のバーやレストランで脱ぎ落としてみせたのだった。

　夜になると街のナイトクラブで激しく踊った。ベルリンで最も名の知れた、そして最も破廉恥な女性であったベルバーは、キャバレー「白ネズミ」の舞台に定期的に出演した。「白ネズミ」では男も女も白黒のマスクをつけて顔を隠していた。

　舞台に上がったベルバーの姿を見た者が、こう語っている。

「彼女に野次を浴びせる者がいた。すると彼女はあれこれと淫靡な動きをして応えたので、白マスクに隠れてはいたが野次を投げた者の顔に赤みが差すのが見えた。野次を飛ばす連中を罵りながら、彼女は透けた薄紗を身に纏っ

A.D.1200　A.D.1400　A.D.1600　A.D.1800　A.D.2020

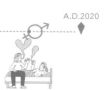

た肉体を右へ左へと絶えず動かしていた。ほどなくして店中が叫び声と歓声と、悲鳴と笑い声に包まれた。ベルバーは気が触れたかのように舞台端から跳び退くと、シャンパンクーラーに手を伸ばし、笑っている肥った男性客の頭に瓶を1発食らわせたのだった」。

　ベルバーは、ベルリンという街でいっとう注目を惹きつけた女性であった。作家シュテファン・ツヴァイクは彼女をして「世界のバベルの塔」と呼んだ。つまり退廃的で、貞潔さなんて持ち合わせておらず、ほとんど譫妄とも呼べる恍惚を感じさせる存在である、と。

　事実、ベルバーもそのファンも、陶酔状態にあったのだ。コカインやモルヒネ、アヘンなどは当時非常に好まれており、薬局で入手が可能だった。世界で消費されるコカインの80パーセントとヘロインの大部分は、ドイツの化学会社で製造されていた。男性たちは直腸用ラジウム座薬を挿入したり、ヨヒンベの樹皮から抽出された液を舌に数滴落として摂取したりして、精力を増強させていた。

　ベルバーは生涯、深淵のなかで踊り続けた。そして1928年、結核により29歳で亡くなった。ベルバーの死からまもなく、ワイマール共和国という官能的な恍惚感に満ちた時代は終わりを迎える。もはやダンスを踊る者はない。一糸乱れぬ規律正しい軍による支配が始まったのだった。

B.C.8000　　　　B.C.4000　　　　B.C.1000　　　　A.D.0　　　　A.D.1000

A.D. 1921

 A.D. 1921

072 　緊縛快楽の解放

　ある冬の日のこと。佐原キセは全裸で、雪の積もる庭に立っていた。後ろ手に縛られ、さらに腹や脚も縄で巧みに巻かれたために、上半身が前につんのめるような体勢を強いられていた。佐原キセは、為すすべもなく隙だらけだった。幾千の針のごとく冷気が肌に突き刺さっていただろうことは言うまでもない。だが同時に、彼女の姿のなかには何か洗練されたものが不思議と感じとれた。数メートル離れたところには、夫が立っていた。伊藤晴雨、画家である。彼はカメラのシャッターを忙しなく切っていた。

　1919年の冬の日のこと、写真『雪責』が生み出され、晴雨の芸術家キャリアは頂点に達した。晴雨、このとき39歳。長年待ち焦がれてきた光景を実現した日であった。

　幼少期に彼が母からよく聞かされた童話では、姫たちが悪者に攫（さら）われ、暗い地下牢に閉じ込められていた。うら若い乙女たちの寄る辺ない姿に、幼い晴雨は昂奮した。やがて日本画と象牙彫刻を学び、過去に日本で実際におこなわれた刑罰をお気に入りのモチーフの1つとするようになった。

　彼が頭に思い浮かべてきた景色は、このとき初めて実現された。妻が苦痛と無力を痛感することに悦びを見出せる人であった

A.D.1200　　　A.D.1400　　　A.D.1600　　　A.D.1800　　　A.D.2020

ことは、彼にとってこの上ない幸運だったといえよう（第65章「ザッヘル＝マゾッホの描く快楽的苦痛」参照）。この夫婦は、実に相性のよい組み合わせであった。キセは縛られるのが好き。晴雨は縛るのが好きだった。

　芸術家であった晴雨は美しい造形にも気を配り、モデルを務める2番目の妻キセを縛る際には創意工夫を凝らした。その際採用したのが、侍の捕縄術であった。日本の侍たちは、すでに16世紀に特殊な捕縄術を用いていた。これは敵の戦闘力を失わせることを目的としており、縄が捕虜の肌に食い込んで傷つけることがないように工夫されていた。その麻縄を体に巻きつける技術は、芸術的であった。体を束縛する縄の存在がはっきりと主張する。「おまえは私のものだ！」と。

　17世紀、江戸時代の日本では数多くの武道の流派がそれぞれ捕縄術を磨き、確立させていった。やがて、町奉行所の与力や同心（町奉行所に勤める下級役人、現代でいう警察官）が犯罪者を捕縛するのに捕縄術を用いるようになった。麻縄を結ぶ数々の様式が生み出され、やがて暗号機能が加わった。見る者が見れば、縄の色や縛り方で罪人の社会的地位や犯した罪が何であったかをひと目で知ることができた。

　正確な年代はわからないが、おそらく18世紀に、罪人を捕らえるための捕縄術を個人の空間で用いた者が現れたのだろう。日本では個人の寝室で広く取り入れられていた緊縛だが、大っぴらに語られることはなかった。

　そうした流れを変えたのが、晴雨であった。雪積もる庭で緊縛されたキセの写真は、日本で最初にSMを取り入れた例であり、晴雨の名を知らしめた。続く数年で夫妻は、様々な写真作品を生み出し、緊縛の様式美を打ち立てていった。

　晴雨の最も有名な写真作品は、妊娠8か月のキセが縛られ、天井から逆さまに吊るされている姿を写したものだ。1921年に生み出されたその作品の題名は、『臨月の夫人の逆さ吊り写真』である。

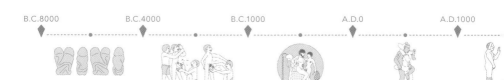

B.C.8000　　　B.C.4000　　　B.C.1000　　　A.D.0　　　A.D.1000

A.D. 1927

073 フロイト監修オーガズム研究

「私は、官能を諦めるべきなのだろうか？　働いて、執筆して、精神分析して、それだけの生活を送るべきなのだろうか？」

　不安に苛まれ、作家マリー・ボナパルトは自問した。すでにベッドであらゆる手立てを尽くしたが、膣（ヴァギナ）からオーガズムに達することはついぞなかったのだ。数々の相手と関係を持ってきた。だが満たされることはなかった。「博士号を10個持っていることよりも、オナニーに自信がある」と言い切ったアメリカの女友だちが、マスターベーションに役立つ技巧をあれこれと教えてくれた。しかし効果はなかった。ジークムント・フロイトから個人的に精神分析を何年も受け、絶頂へ至る道を遮る心の障壁を取り払おうと試みるも、何の成果も得られなかった。

　ナポレオンと血の繋がった一族の出自にして、ギリシア王子の妻であったボナパルトは、財力もあったので、1927年に強硬手段に出ることを決意した。名医と評判のウィーンの外科医ヨゼフ・フォン・ハルバンの診療所に赴き、世界初の近代的な陰部の外科手術を受けた。陰核（クリトリス）を膣口近くに動かすことが手術の目的であった。

　ボナパルトが膣の手術を受けるより数年前にフロイトは、膣のオーガズムが女性という存在にとって重要な特徴であると述べた。1905年の著書『性理論に関する三つのエッセイ』では、男の挿入では満足できないが、陰核の刺激だけでオーガズムに達する女性は不感症であるという理論を展開した。

A.D.1200　　　　A.D.1400　　　　A.D.1600　　　　A.D.1800　　　　A.D.2020

    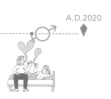

不感症という弊害の因子は、幼少期に形成されたという（いつものフロイトらしい理論だ）。

　男の子はペニスを弄り、女の子は「男根の劣等器官」である陰核を弄る。男性器が果たす役割を、女児は性器を弄ることで代用するのだが、この行為も思春期の訪れとともに健全な少女であれば止めるようになる。やがて成人した女性は、男性と同衾することで快楽を見出すようになるのだ。だが性行為で膣からオーガズムを得られない場合、その女性は女児にとって大切な先述の成長過程を通ってこなかったのだとフロイトは言う。いざとなれば精神分析をすることで成長過程を追体験することができる、と。

　ボナパルトは、フロイトの助言に従った。毎日熱心に2時間の精神分析を受け、可能なことは何でもやった。フロイトの「お姫様」になり、彼の著作をフランス語に翻訳し、フランスの友人たちからは精神分析の引用時に多用した「フロイト曰く」の文言をそのままあだ名にされ、パリ精神分析協会を設立し、終いには精神分析家として開業したのである。だが性の女神にはならなかった。何事も適材適所である。

　ボナパルトが辿り着いた結論は、「為らぬものは為るようにするしかない！」であった。オーガズムを得るため手術をおこなうという決意と発想は、素人学者だった彼女が以前に時間と労力をかけておこなった調査の結果から出たものだ。

　研究結果は、A・E・ナルジャニという偽名で発表された。陰核と膣の距離と、性行為中に膣からオーガズムを得られる確率とを初めて関連付けた研究であった。200名の女性たちの陰部を巻尺で測り、性生活について尋ねるという根気の要る作業だった。結論は、以下の通りである。陰核と膣口の距離が2.5センチ以下の女性たちはいずれも、膣に男性器を挿入することでオーガズムに達することができていた。一方、陰核と膣口の距離が2.5センチを

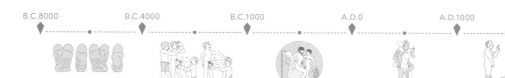

B.C.8000　　　B.C.4000　　　B.C.1000　　　A.D.0　　　A.D.1000

超える女性たちは、ペニスの挿入でオーガズムに達することができていない
ようだ。

　ハルバン・ナルジャニ施術と呼ばれるボナパルトの手術は、残念ながら不
首尾に終わった。1930年に改めて手術するも、やはり芳しくない結果であっ
た。1931年には3度目の正直を試みるが、外科医ハルバンが取り返しのつか
ないミスを犯す。患者の陰核の神経を損なってしまったのだ。

　オーガズムを求めた結果、ボナパルトは一切のオーガズムを得られない体
となってしまった。

    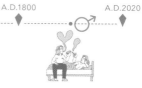

A.D.1200　　　A.D.1400　　　A.D.1600　　　A.D.1800　　　A.D.2020

A.D. 1932

074 ホモセクシュアル・マフィア

　フランスのジャーナリスト、ダニエル・ゲランは、ワイマール共和国時代の末期にドイツ全土を旅し、地元の祭りや酒場、政党事務所などを訪れ、共産党の赤色戦線に随行した。ウィーンでは国家社会主義ドイツ労働者党（ナチス）の突撃隊が情緒的な民謡を歌い、権勢欲に酔いしれる様子を観察した。

　ドイツという国と、そこに暮らす人々をよく知っていたゲランだったが、1932年にベルリンで出会った一風変わった男性集団には流石に驚かされたようだ。

　男たちはパリの浮浪者を思わせる出で立ちで、短いズボンと丈の長いウールのベストという服装に、大きなリュックサックと履き潰したハイキングブーツを身に纏っていた。よくよく眺めてみると、婦人用の帽子や、派手な色味のスカーフ、大振りのイヤリングに、エキゾチックな刺青といった、見る人が見たらそれとわかる特徴的なものを身につけている。服には虹色や、謎の数字の羅列、「ワイルド・フリー」や「略奪者」といった言葉がペイントされていた。男たちのリーダーは「大柄の青年で、官能的な唇をしており、目のまわりを黒く縁取るように化粧をして」おり、ヴィネトウと名乗った。

　1932年のベルリンには何万人もの同性愛者が暮らしていた。1920年代に世界中からドイツの首都へとやってきた者たちだ。ベルリン以上に、自由を謳歌できる土地はなかったのだ。「ワイルド・フリー」と名乗る集団も、自身の同性愛指向を賛美し、無法者を決め込んでいた。ほかにも「インディア

B.C.8000	B.C.4000	B.C.1000	A.D.0	A.D.1000

ンの血」や「赤いアパッチ」「森の海賊」「血まみれの骸骨」など、作家カール・マイの作品を愛好していることを窺わせる名前のグループもあった。

　零落し、荒涼とした都会の砂漠ベルリンこそが、彼らが西部劇を気取る舞台。軽犯罪を犯してスリルを味わったり、地下や空き倉庫に作った集会室で性行為をしたりした。集会室には色あせた寝椅子1つがあるだけで、若者たちはこれを「ピストンソファ」と呼んだ。

　入団の儀式は、恐ろしいものだった。新入りはベルリン近郊の森や湖でナイフを手に互いに戦わされ、団員たちが見ている前で互いにセックスをしなくてはならなかった。それもストップウォッチを持ったボスが「よし」と言うまでである。あるいは地上で全裸になった団員たちが男根の象徴を揺り動かしている間、新入りが同じく全裸で樹の梢に縛られていることもあった。こうした入会儀式に引き続いて、酒盛りや乱交がおこなわれるのが常であった。

　ゲランは、彼らゲイ集団の入会儀式や自意識に「ファシズムにも似たものが潜んでいる」のを見出した。表面上は進歩的であるように取り繕っているものの、この純然たる男集団は、これまでにはない新しい手法でもって強者の正義を振りかざしているのだ（第19章「『蛮族』ケルト人が育んだセックスの絆」参照）。

　ゲランの見解はあながち間違ってはいなかったろう。1932年に彼を驚かした青年ヴィネトウは、2年後に支配者側であるナチスの突撃隊に入団し、権力を振るうようになったからだ。

A.D.1200　　　A.D.1400　　　A.D.1600　　　A.D.1800　　　A.D.2020

A.D. 1933

075 銀幕の絶頂

　裾の長い白い服を着た娘が馬に乗って、近くの湖にやってくる。彼女は岸辺で服を脱ぎ、水の中に飛び込むと、愉しそうに泳ぎ始めた。だが、服を馬の背に置いたままにしていたのは迂闊であった。突如、馬が走り出したのだ。

　さてどうしたものだろう？　可哀想に、娘は一糸纏わぬ姿で茂みに身を隠した。そこへ偶然、若き紳士がやってきた。紳士は娘の置かれた状況を察し、馬を探しに行き、服を取り戻してくれた。

　オーストリア・チェコスロバキア合作映画『春の調べ』が封切られたのは、1933年1月20日プラハでのことだった。既成概念に捉われない性的な場面を含む作品であったことから、世界的に耳目を集めた。批評家たちは口々に「世界でも類のない不潔な作品」と扱き下ろした。ローマ教皇個人が、ヴェネツィアでの上映を阻もうとした。結果は不首尾に終わったが。ドイツでは1935年に『愛の交響曲』の題で公開された。だが厳しい検閲を受け、編集されたものが上映されたのだった。

　服を失った憐れな女性を演じたのは、オーストリアの女優ヘドヴィク・エヴァ・マリア・キースラー（ヘディ・ラマー）であった。一糸纏わぬ姿を銀幕に晒したのは、彼女が初めてのことではない。教皇や検閲官、そのほか道徳だ慣習だと喧しい者たちに顰蹙を買ったのは、おそらくまったく別のシーンだろう。

　全裸の女が、自分を窮状から救ってくれた紳士と性交渉をする。2人が体

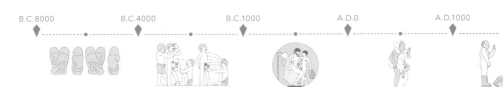

B.C.8000　　　B.C.4000　　　B.C.1000　　　　　A.D.0　　　　　A.D.1000

を重ねる場面では、女の昂奮した顔が大きく鮮明に繰り返し映し出される。
キースラーは、映画史上で初めてオーガズムを演じた。絶頂に達した女が、
まず最初に煙草に火をつける姿も必見である。

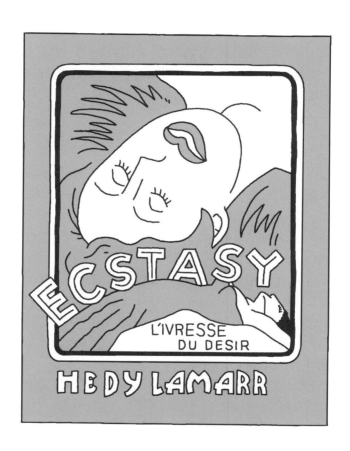

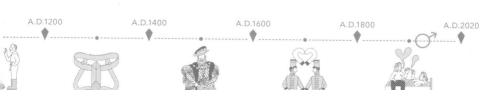

A.D. 1936

076 ナチス体制下の裸体思想

　ハンス・ズーレン、1885年生まれ。第1次世界大戦で少佐を務めた彼は、気配りのできた人間であった。週に1回以上の全裸での走り込みを、一貫して夜間に実施していた。そうすれば他の人が彼の全裸の肉体を見ずに済むからだそうだ。

「人気（ひとけ）の少ない地域であれば、全裸で1人で動き回ることも許してもらえるだろう」。

　著書『人間と太陽——アーリア人とオリンピックの精神』のなかで、ズーレンはこう綴っている。1936年に改訂版が刊行され、25万部の売り上げを記録した、ナチスドイツのベストセラーである。裸の男女の写真が多数掲載されており、なかでも男性の仕草が 同性愛（ホモセクシュアリティ）を彷彿（ほうふつ）とさせる（第74章「ホモセクシュアル・マフィア」参照）。

　ズーレン自身も数ページにわたって姿を曝（さ）け出している。その日焼けした褐色の肉体には植物油が塗りつけられている。曰く、寒さから身を守るためだという。だが、裸身が磨きあがったように美しく映える効果を狙ったのもあるだろう。ある写真ではパンチングボールを打つ著者の姿が、古代のアスリートの銅像のように映し出されている。

　ズーレンは著書を通して、裸で運動する人間の姿を映し出し、全裸スキーを奨励し、男性の肉体——「日焼けして褐色になった陰茎」や「2個の小さな卵形の睾丸のついた、脈打つ陰嚢（いんのう）」——を賛美した。

　ズーレンの著作に掲載された同性愛的な裸体思想を、ナチスの検閲官が問

B.C.8000	B.C.4000	B.C.1000	A.D.0	A.D.1000

題視することはなかった。むしろ逆だ。ズーレンは「全国農民指導者特別全権委任身体教育担当」に任ぜられたのである。これにより彼はドイツ農民の身体や健康に責務を負う立場となった。

著書の序文に、こんな記述がある。

「本書は国家社会主義ドイツ労働者党の人種政策局局長より強くご奨励いただき、党公認国家社会主義文献保護審査委員会に提出し、審査を受け、承認を受けた後、国家社会主義文献目録に掲載された」。

ズーレンはさらに降誕祭前の約4週間の待降節（クリスマス）（アドヴェント）には親衛隊の機関紙《黒い軍団》の1面いっぱいに自身の裸体思想本の広告を掲載した。

「肉体を感じ、肉体を意識することに、私たちは喜びをもって強く同意します。強く、意識の高い性を成すには肉体を感じ、肉体を意識することが必須です」。

アドルフ・ヒトラーもまた、ズーレンの著作を愛読していたという（第77章「総統宛てのラブレター」参照）。

1933年、青少年団が権力を掌握（ゲット）した。このときヒトラーは44歳、側近のゲッベルスは36歳、同じく側近のヒムラーが33歳であった。ナチスが同性愛を無慈悲に迫害したことは言うまでもない。だが男女間の性行為は奨励し、教会による制限など構わず、市民たちが性行為をおこなうことに逡巡（しゅんじゅん）することがないよう努めた。もしかしたらナチス時代に度を越して開放的な性生活を送っていたから、ドイツ人たちは1950年代には性に対して澄まし込んだ態度を見せたのかもしれない。

『人間と太陽』には次のような一節がある。

「性愛生活とは、断じて結婚生活に限定されるものではない。自由な性愛も認められている。ゲルマン民族の先祖たちがそうだったように」。

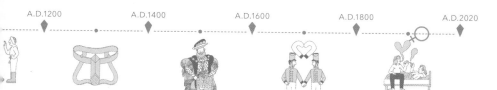

A.D.1200　　A.D.1400　　A.D.1600　　A.D.1800　　A.D.2020

A.D. 1939

077 総統宛てのラブレター

　すべてのドイツ人女性は子を総統に捧げるべし。

　かようなスローガンを、ナチスは標榜していた。4人の子を産んだ女性は、勲三等の母親十字勲章を賜った。

　さて、フリーデル・Ｓなる女性は、ナチスの奨励文句を少々文字通りに受け取り過ぎてしまったようだ。1939年4月23日、書き物机に向かい、アドルフ・ヒトラーに宛てた手紙を綴り始め、前置きもそこそこに本題に入った。

　「親愛なる総統閣下、貴殿の子をなすことを望む女がザクセンにおります。こんなお願いをすることが普通ではないことは存じておりますが、まさしく貴殿に子がいないことを思うと、心が落ち着かないのです。どうかこの手紙が貴殿の御目の前に置かれますことを願ってやみません」。

　下種な男を好きになる女がいるとは、よく言われることだ。第3帝国の女性たちの振る舞いは、こんなステレオタイプが事実だと証明するかのようだった。ヒトラーに宛てて綴られた何百、何千というラブレターが総統官邸に届けられたのである。

　総統自身は黒髪に、細い肩幅、背丈は175センチぽっちと、アーリア人戦士の理想には合致していなかったのだが、女性たちは気にしてはいなかったらしい。ある者は総統の「柔和な眼差し」を褒め称え、またある者は「その優美な長ズボンが目の保養になる」と熱を込めて綴った。こうした女性たちは、ヒトラーを国家最高指導者とも妄想上の肩書や称号を備えた存在とも呼ばなかった。彼女たちにとってヒトラーは「熱く燃え滾るほど愛しいあなた」

B.C.8000　　　　B.C.4000　　　　B.C.1000　　　　A.D.0　　　　A.D.1000

だとか「アディリー」「可愛いルーデルちゃん」であったのだ。強大な権力を有する小柄なオーストリア男が、女性たちの性愛と思慕の念を掻き立てたのだ。女たちは自宅の鍵を送り、どの部屋を訪ねればよいかを正確に記した。「どうか少しでも私を憐れみ、わずかなりとも慰めてください」。

　熱狂的ファンのなかには、すっかり心酔してしまい、懇願するほどの想いの丈を綴る者もいた。

「何よりも愛おしく心から愛する方、世界で唯一の君、最も尊い君、何よりも大切な熱い愛を受けるお方。これでもあなたを呼ぶのに充分ではありません。あなたを愛おしく想うあまり、あなたをすっかり食べてしまいたいのです」。

　服を脱ぎ、さらには心のなかで総統の服も脱がせた同志もいた。

「あなたのお尻に口づけをし、前を開けました。こうすれば私がどれだけあなたを愛しく思っているか、あなたも感じられるでしょう」。

　こうした女性たちからの手紙にヒトラーが返事をした記録は、今のところ見つかっていない。だが総統へ手紙を送る頻度があまりに高く、手紙に打ち明けられた想いの切迫感が強い場合には、連絡を受けた管轄当局が手紙の主を「治療施設」に送った。

　冒頭で紹介をしたフリーデル・Sなる女性は、精神病院行きを免れた。1939年に手紙を綴った際、総統から拒否される可能性にも触れていたからだ。

　それにしても、総統は子どもを作る時間がまったくないのだろうか？

　父としての義務を果たすにはすでに老いていると思っているのだろうか？

　かつて実在した君主や指導者たち（第22章「皇帝陛下はクンニがお好き？」参照）、また直属の部下たちとも異なり、ヒトラーが自堕落な性生活を送ったという記録は何ひとつない。もしかしたら5か月後に勃発する世界大戦の計画を練ることで手一杯だったのかもしれない。あるいはV2ロケット※という存在により性衝動を昇華させていたのかもしれない。

※第2次世界大戦中にドイツが開発した弾道ミサイル

A.D.1200　　A.D.1400　　A.D.1600　　A.D.1800　　A.D.2020

　先立って1934年、ヒトラーは帝国議会において自身が独身である理由を
こう告げている。
「我が恋人は、ドイツである」。

B.C.8000　　　　　B.C.4000　　　　　B.C.1000　　　　　A.D.0　　　　　A.D.1000

A.D. 1941

ワンダーウーマンとBDSM教育

　魔法の投げ縄、鷲をモチーフにしたビスチェ、アメリカ国旗柄のショートパンツ——1941年12月『オールスター・コミックス』8号で、ワンダーウーマンは華々しくデビューした。彼女のキャラクターは大きな成功を収め、やがて単行本シリーズとなり、スーパーマンとバットマンに次ぐ、長年愛されるアメコミキャラクターの地位を築いたのであった。

　ワンダーウーマンとは、いったい何者であろうか？

　豊満な胸とビヨンセのような美尻を持ち、拘束プレイに並々ならぬ情熱を注ぐアマゾンの女性を生み出したのは、ハーバード大学の心理学者ウィリアム・モールトン・マーストン。嘘発見器の発明者ともされている人物である。多重婚で有名なマーストンだが、彼が実現を目指して戦ってきたものはそれだけではない。彼はより良質なセックスをすることと、より良き社会の実現は密接に繋がっていると考えていた。

　「はっきりさせておきたいのは」、コミックス初版の序文でマーストンはこう綴った。「ワンダーウーマンは心理学理論の広告塔であるということです。ワンダーウーマンという新しい女性像に、世界が応えることを望みます」。

　心理学者であったマーストンは、男性が「人を愛する力」に「ただただ恭順する」ことこそが戦争や不平等といった人類の問題を解決するのだと、固く信じていた。要するに目指すべきは、母権制である（第39章「マルコ・ポーロ、性の無秩序に狼狽する」参照）。

　「自分たちよりも強く、かしずくに値する女性たちの存在により、男たちは

A.D.1200 A.D.1400 A.D.1600 A.D.1800  A.D.2020

恭順的な奴隷として女性たちに仕えることに誇りを抱くことだろう」。そうマーストンは綴った。

　一方でマーストンは、男性の大半がそんな心理的境地に到達していないことを知っていた。そこで彼は「セックス・ラブ・トレーニング」なるものを生み出す。主従プレイの実践が主な内容だ。マーストンは漫画について、自身の学説を幼稚園に浸透させ、できるだけ幼いうちから子どもたちの心に刻み込むのに、適切かつ極めて実用的な媒体であると見ていた。彼は少女たちに、フェミニズム・ヒロインの姿を見せてやりたかったのだ。「力と勇気と強さ」を持ちながら、同時に「優しく、従順で、心穏やかな」存在を。

　初登場から1947年のマーストンの死に至るまでに描かれた作品のうち、ワンダーウーマンが縛られる描写、あるいは誰かを縛る描写、尻を打たれる描写、逆に敵の尻をひっぱたく描写は全体の27パーセントにのぼる。

　マーストンは、その進歩的な理論を自ら実践した。2児の母である2人の女性と共に、BDSM※を自分たちに合うようにアレンジし、楽しんだ。

　妻エリザベス・ハロウェイは、イギリスのマン島で生まれ育ち、女性参政権を主張する快活で男気のある女性だった。ワンダーウーマンというSMスーパーヒロインのモデルである。妻と共にマーストンが愛したのが、かつての教え子オリーブ・バーンである。上品な女性で、腕輪やティアラを身につけるのを好んだ。そう、ワンダーウーマンのように。マーストンが愛した2人の女性は、彼の死後も40年間を共に連れ添った。

　ワンダーウーマンの戦いの舞台は、徐々に移り変わっていった。長いことコミックスにはBDSM的な描写がない。

　ワンダーウーマンが武器として使う魔法のロープ、「真実の投げ縄」はマーストンの発明した嘘発見器の象徴とされてきたが、1950年代に入った頃から徐々にその説を否定する者が現れた。1954年、精神科医のフレデリック・

※互いの同意に基づき支配と従属の関係を楽しむプレイの総称

| B.C.8000 | B.C.4000 | B.C.1000 | A.D.0 | A.D.1000 |

ワーサムが論文『無垢への誘惑』を発表。「同性愛者であり小児性愛者であるバットマン」と対を成すのがワンダーウーマンであると論じた。ワンダーウーマンは「正真正銘のレズビアン」であり、「極めてサディスティックな男性嫌悪」に駆られて行動していると述べたのである。

　ワーサムの論文がベストセラーとなったことを受け、アメリカのコミック産業はかの有名なコミックス倫理規定（コミックス・コード）を導入し、自主的な自己検閲をおこなった。結果、ワンダーウーマンは突如としてショッピングへの興味を持ち始め、相棒の男性スティーブ・トレバーとの結婚を秘かに夢見るようになったのである。

A.D. 1942

アメリカ陸軍航空軍とフリーセックス

　1940年代のとあるルームパーティーでの話。飲みものが供され、レコードプレーヤーがジャズの音盤を回す。だが音楽に耳を傾ける者はいない。会話だってまともにされていない。参加者たちの視線は帽子に注がれ続けている。帽子は部屋の応接テーブルの上にさりげなく置かれていた。ついに女が1人、テーブルへと歩み寄った。ちらと見るでもなく帽子の中へ手を伸ばし、鍵を引っぱり出すと、周囲の人々に見えるように掲げた。男が1人、声をあげた。女の手にあるのが、自分の部屋の鍵であると気づいたのだ。女は男の腕を取り、2人はパーティー会場を出た。女たちが1人、また1人と、くじを引いていった。ランダムに引き当てる鍵の主が、今夜のお相手だ。

　驚くなかれ、1970年代のカリフォルニアのヒッピーや、パリの超自由主義の知識人たちの話ではない。アメリカ陸軍航空軍基地で起こった出来事なのだ。第2次世界大戦が始まってすぐの1941年に設置された組織、スウィンガー・クラブ、またの名をセックス・クラブは軍によって生み出された。スウィンガー・クラブを日常的に利用していたことを公言する航空士は1人としていない。懲戒処分を恐れているからだろう。だが士官たちは、ここだけの話として「キー・クラブ・パーティー」なるものの存在を学者たちに明かした。かのパーティーでは、営舎のなかの社会構造がひと晩だけ上下でたらめに入り混じるのだという。

　戦後、ベテラン航空士にしてキー・クラブにも詳しいレイディは、外交販売員としてアメリカ全土を旅し、訪れた街々で出会ったスウィンガー──開

B.C.8000	B.C.4000	B.C.1000	A.D.0	A.D.1000

放的なセックスを愉しむ人々──の名前を掲載したリストを作成した。「レイディ・リスト」はいわば最初のスウィンガー・コミュニティとなった。後には、そういった情報広告を掲載した雑誌が現れ、さらに後にはインターネット上でコミュニティが形成されるようになる。

「外には私と同じように感じる人々がいるのだろうか?」──いつの時代にも、そんな疑問を持つ者がいるのだ。

　陸軍航空軍は、第2次世界大戦期にはエリート集団であった。航空士はアルファ──群れの頂点に立つ、強くて雄らしく、大胆不敵な個体──とされ、当時は性的魅力にあふれたセックスシンボルであった。だが彼ら航空士たちは、自分たちの女を嫉妬深く監視するわけでもなく、むしろパーティーを開催してはパートナーを交換して愉しんだ。こう聞くと、初めは不思議に思うかもしれない。

　航空士たちが開放的なセックスを愉しんだのは、彼らが結束の固い集団社会で生活を送っていたことが理由なのだろうか?　航空士の勤務地も大いに関係していただろう。第2次世界大戦中の陸軍航空軍の行動拠点は、太平洋であった（第59章「南太平洋の性教育」参照）。士官たちは自ずと、自由な性道徳の浸透した文化と接触することになった。

　しかも死の不安につきまとわれているわけである。アメリカ軍戦闘機乗組員のうち第2次世界大戦を生き延びたのは3分の2であった。アメリカ軍のなかで、これほど死亡率の高い部隊は他になかった。だからこそ航空士たちは、生きている時間を可能な限り有効に使いたかったのだろう。

　つまりはこういうことかもしれない。

「こちとら時速700キロ、高度1万2千メートルの航空機に乗って空を駆け巡ってんだ。地上の慣習だとか法律だとか誓約だとかを守って何の得があるっていうんだ?」

A.D. 1948

080 ドイツ人とペッティングの出会い

「アメリカ人の学生は若い娘を家へと送り届け、建物の入口で別れを告げる。初めてのデートであっても、キスをするのが礼儀である」。

1948年11月、ドイツのニュース雑誌《シュピーゲル》はアメリカ合衆国の緩い慣習に衝撃を受けながらも、これを紹介する記事を掲載した。第2次世界大戦が終わり、戦勝国アメリカはドイツの非ナチ化政策と社会復興を進めた。反感を抱く者が現れないわけがなかった。キス文化だけでも胸クソ悪いのに、未婚の男女が躊躇いもなく互いの肉体に触れ合うのが、よりドラマチックなんだという。《シュピーゲル》誌の記者は忌々しくこう綴った。「若者たちの夜のドライブには、ペッティングが含まれているのだ」。

戦後3年以内にドイツやフランス、スイスの女性と結婚したアメリカ兵の数は2万5千人以上だった。この事実が示すのは、アメリカ兵たちが開放的で奔放な故郷から逃げ出し、品行方正な娘たちの腕の中に安らぎを求めたことである……というのが記者の言い分であった。ドイツ人ジャーナリストがペッティング現象について触れたのは、怖さ半分・面白半分であったろうし、自分たちがアメリカ人よりも道徳的に品行方正だという優越感もあったのだろう。

ペッティングなる概念を翻訳するにあたり、専門家たちは非常に頭を悩ませた。《プシュケ》誌は、ペッティングとは「性交することなく異性に接触し、昂奮の絶頂に達する行為」であるとした。専門誌《プロ・メディコ》は「性

| B.C.8000 | B.C.4000 | B.C.1000 | A.D.0 | A.D.1000 |

的昂奮を煽りつつも最後まで行為を完遂しないこと」と記した。

ドイツ語翻訳者たちがさらに頭を抱えたのが、かの有名な『キンゼイ報告』
——アメリカの動物学者アルフレッド・キンゼイによる、人間の性行動に関
する学術書——である。脚注にペッティングに関する記述があったのだ。そ
れによると、ペッティングとは「意識的に、かつ初めから意図的に性的昂奮
を生み出すことを目的としており、両者がすでに体験済みの性的魅力を引き
出そうというよりは、まだ経験したことのない昂奮を技巧を凝らして生み出
そうという両者の意図のもとに始められる」。

評論家たちはペッティングを、表面的で奔放な行為であり、結婚した男女
だけが持つことのできる真実の愛とは無縁のものだとみなした。ゆえに《メ
ルクール》誌は、ペッティングを馬鹿丁寧に「一種の相互マスターベーション」
と呼び、深い絶頂感を得ることは決してないと断言した。《ヴォッヘンエンド》
誌はこれを「偶像化された性愛の毒花」と呼んだ。リベラルな《南ドイツ新聞》
ですら激高した筆致で、アメリカの青年が退屈を紛らわそうと「機械的にネッ
キング（首に抱きついておこなうキスや愛撫）やペッティング行為」をする
と記したのであった。

かような文化とも呼び難い野蛮行為が、歴史も文化もないアメリカ合衆国
で蔓延するのは不思議なことでもあるまい。だが、と《南ドイツ新聞》は確
信を込めて綴った。ドイツのように高度に文明化され、洗練された国では、
ペッティングのようなおぞましい行為が広まることは決してないだろう、と。

A.D.1200　　A.D.1400　　A.D.1600　　A.D.1800　　A.D.2020

A.D. 1951

081 ピルの母

男性の自己顕示欲というものは、大概が面倒くさい。だが時として、この自己顕示欲が世界をよりよい方向へ導くこともある。

「立証に足る根拠を常に求めてきました。私は、ガラスに半分入った水を見て、『もう半分しかない』と考える人間です。他人にどう思われるかを気にします」。

化学者カール・ジェラッシは、あるインタビューのなかで自身の研究活動のモチベーションをそう話した。単に新発見だけを求めて、幾夜も研究室で過ごしていたわけではない。名声や称賛が欲しかった。肩を叩いて認めてもらいたかった。その一心で研究に取り組んできたのだ。

1951年10月15日、ジェラッシが27歳のとき、メキシコシティにてグレゴリー・ピンカスおよびジョン・ロックと共同で取り組んだ研究のなかで、彼らはステロイドホルモン・ノルエチステロンを人工的に作り出すことに成功した。ジェラッシの勤める製薬会社シンテックス・ラボラトリーズは、この原料から製造した月経痛の医薬品の販売を計画した。だが研究開発を進めるうち、ノルエチステロンを適量摂取することで、女性の体に妊娠状態であると誤認させ、排卵を起こさないようにする働きがあることが判明した。

1960年「エノビッド」の名で世界初の経口避妊薬、ピルが発売された。この発見により、カール・ジェラッシの給与は3倍になった。当時最も名の知れた化学者は、ジェラッシであったといえるだろう。だが当の本人は、ノーベル賞を受賞できず、27の大学から名誉博士号を授与されたのみだったの

B.C.8000　　　B.C.4000　　　B.C.1000　　　A.D.0　　　A.D.1000

が不満であった。

「27大学だろうと、30だろうと、それは関係ないんですよ。問題は、私がまだもらってないものがあるってことなんです」。

　ジェラッシはさらに、莫大な財産を手に入れた。シンテックス社がピルで巨万の利益を得たタイミングで、その分け前に与（あずか）ることができたのだ。加えて性生活のほうにも得るものがあったようだ。

「性生活にもたらされた大いなる前進は、ピルの存在なしには考えられませんでした。ピルによってもたらされた大きな変化、正直に申し上げると、これは私個人にも非常に重大な出来事だったのです。以前、私はサンフランシスコに暮らしておりました。かの地はおそらく、先ほど申し上げた性生活の変革が最も激しく巻き起こった中心地といえるでしょう。（中略）私は今も昔も変わらず、性生活をとても満喫しております。ですが、女性に対しては敬意を払っておりますよ」。

　ピルなんてものを使うのは製薬会社と父権主義者だけだ、奴らはピルで女性の体を操るのだ。そう批判する者に対し、自身の開発品であるピルを擁護するジェラッシの口調は激しく、熱が込められていた。

「ピルは力関係というものを初めて変えた存在です。これまで生殖の権利を持っていたのは男でした。出産において男が本質的な役割をあまり果たしていないにもかかわらず。しかしピルが現れたことで、女性たちが性交渉をしても、その結果を自分でコントロールできるようになったのです」。

　ジェラッシが女性の権利獲得のために研究をおこなったのには理由がある。1923年ウィーンの地で、彼はユダヤ人の両親の息子として生まれた。まもなく両親が離婚。幼いカール少年は文字通り女性たちに囲まれて成長した。青年学校には馴染（なじ）めず、女子学校に通うことになった。1938年にはナチスの手を逃れるため、母と共にアメリカへ亡命した。「女性たちと一緒に

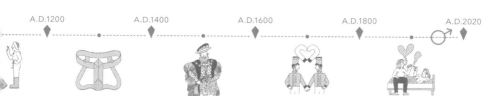

A.D.1200　　A.D.1400　　A.D.1600　　A.D.1800　　A.D.2020

いるほうがずっと居心地がよかったのです」、とジェラッシは後に語った。
彼にとっては、「ピルの母」と呼ばれるのも喜ばしかった。

　そんなジェラッシは自身の夫婦生活においても、妻だけが避妊するのはお
かしいと考え、2人の子どもが生まれるとすぐに断種手術を受けたのであった。

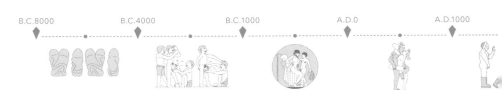

A.D. 1954

082 東西ドイツ・エロス戦争

　1953年6月17日、ドイツ民主共和国（東ドイツ）全土から何十万という人々が集まり、労働ノルマの10パーセント引き上げと政府による弾圧に抗議するデモをおこなった。2万人のソビエト兵が動員され、市民の暴動鎮圧にあたった。少なくとも55名の犠牲者が出た。

　暴動からまもなくして、緊張状態を緩和する必要に駆られた政府・ドイツ社会主義統一党は、東ドイツという共産主義社会において、市民がより日常生活に興味を持てるよう一連の施策を打ち出すことにした。特に力を入れたのが、メディアコンテンツの改編だ。政府は市民を教化するプログラムを重視した。政府の決定事項を伝える媒体としては、機関紙《ノイエス・ドイチュラント》があるが、その文体は真面目で単調だ。もっと楽しく、ユーモラスで、エッチな読みものも提供するとよいのではないか。

　かくして高等弁務官ウラジミール・セミョーノヴィチ・セミョーノフとの会談後、編集者たちが集まり、文化誌《ダス・マガジン》が立ちあがった。クリスタ・ヴォルフやアルノルト・ツヴァイクといった、東ドイツを代表する作家たちの文章を楽しめるだけでなく、セクシーな物語や、露骨なイラストも掲載された雑誌だ。なかにはピンクの背景に「愛・妄想・料理の魔法」と題されたページもあり、催淫効果の期待できるレシピが紹介されていた（たとえば「バジルは乙女をひっくり返す」など）。

　さらには毎号、ヌード写真を掲載する枠がちゃんと設けられていた——後にはタブロイド紙《ビルト》が、女性のヌード写真掲載の伝統を引き継いだ。

1954年1月に発売された創刊号に掲載された写真では、モデルも気恥ずかしそうに波形模様のガラス板の向こうに隠れていた。だが時とともにモデルのポーズも写真のモチーフも、大胆なものになっていった。

　1959年、一糸纏わぬ姿の女性が両脚をおっぴろげにした写真が掲載されるや、隣国オーストリアから制止を求める声があがった。かの国でも《ダス・マガジン》誌が販売されていたが、内務省が問題の写真の掲載された号の未成年への販売を禁止した。「挑発的な脚構え」が「性欲を刺激する」危険性を孕んでいるというのが理由であった。

　東の社会主義国では、鉄のカーテンで仕切られた西側の市民社会のスキャンダルなど、真新しいことでも何でもなかった。冷戦時代に東側が収めた、ささやかだが「熱い」勝利であったのである。

B.C.8000　　　　B.C.4000　　　　B.C.1000　　　　A.D.0　　　　A.D.1000

A.D. 1955

083 世界を揺るがした絵画

1955年のパリ、とある美術品オークションでのこと。会場のなかには精神分析家ジャック・ラカンや作家兼社会学者ジョルジュ・バタイユの姿があった。知の巨頭ともいうべき両者は、互いをよく知っていた。ラカンの妻シルヴィアは、元々はバタイユと結婚していたからだ。加えて2人とも、性に関する議論に情熱を注ぐという点で共通していた。バタイユは物を書き、語る上で、日常や理性とは正反対の暴力・エロス・自己破壊を主として取り扱った。

すでに戦後フランスで耳目を集めていた精神分析家ラカンに美術オークションの存在を知らせたのは、バタイユである。1枚の絵が売りに出されている、これを逃す手はないと。そう、ギュスターヴ・クールベの『世界の起源』が。

トルコの外交官ハリル・ベイの依頼を受け、フランスの写実主義の画家クールベが『世界の起源』を仕上げたのが1866年。19世紀の美術界に激しい議論が巻き起こった。ベッドに横たわるは裸の女性。その両脚は開き、豊かな黒い陰毛の下に、赤いヴァギナが露になっている。あとは腹部と片方の乳房が見えるだけで、女の顔や手足は描かれていない。白いシーツが女の上半身を半分覆っている様は、病理検査に使われる解剖台を思い起こさせると同時に、愛し合った後の乱れたベッドをも連想させる。

作品が世に出た当時、人々は衝撃を受けた。警告を含んだ風刺詩が広まるほどの騒ぎであった。

「これを前にして、おまえは時に屈する／おまえの髪は白くなる／これを前

A.D.1200　　A.D.1400　　A.D.1600　　A.D.1800　　A.D.2020

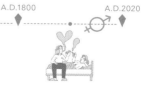

にして、おまえの歯は抜け落ちる。（中略）周りの者みなが彼に敬意を表する／皆が深々とお辞儀をする／だが我々は深く恥じ入るのだ／これを得た世界は、先へと進み続けるのだ」。

　職業柄、人間の欲望・羞恥・不安を取り扱うラカンは、絵画『世界の起源』を150万フラン（当時の相場で約1億5000万円）で購入し、ギトランクール村の別荘に飾った。完成から100年足らずだというのに、ラカンの精神分析理論を映し出したかのような印象を与える絵であった。

　人間というものは己の衝動欲求や願望を真に理解してはいない、とラカンは事あるごとに口にしていた。クールベの絵を鑑賞すれば、真に自己を認識することなど不可能だと己が肉体で実感できよう。「やり過ぎ」「イケてる」「イカレてる」……ありとあらゆる感情が湧き起こり、結果、人は顔を赤らめるのだ。

『世界の起源』の女の腹は、やや丸みを帯びている。もしかしたら身籠もっているのかもしれない。自分の誕生の瞬間を覚えている人間などいない。精神分析は実の母親への欲望の存在を主張するが、そんな感情も記憶から追いやるのが賢明だ。人は皆それぞれが盲点を持つがゆえに、それぞれの主観で世界を捉えるのである。

　さて別荘にクールベの絵画を飾ったラカンと妻シルヴィアだが、このままでは客や使用人たちにお披露目はできないと、夫妻の意見は一致した。ラカンは義理の兄で、シュルレアリスムの画家アンドレ・マッソンに『世界の起源』を「上から覆い隠す絵」の作成を依頼した。

　マッソンが描いたのは、木立のある丘陵の風景画で、見る者に女体を連想させるものであった。ラカンはこれを気に入り、客のなかから選りすぐりの者たちを絵画へと案内した。

「さあ、世にも稀なるものをお目にかけて差し上げましょう！」

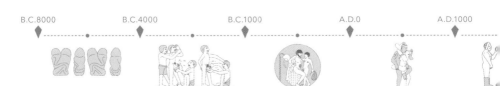

B.C.8000　　　B.C.4000　　　B.C.1000　　　A.D.0　　　A.D.1000

枠を外し、マッソンの絵を取り出すと、その下からクールベの作品が現れた。客たちが一様に驚き、どよめく。ラカンは喜びを嚙みしめた。

　とはいえ、二重構造の額縁を用いた驚きのトリックの効果もさほど長くは続かなかった。ラカンはこう綴っている。

「基本的な愛の場面への想像を働かせるのに、あの隠し絵に勝る方法は未だに見つかっていない」。

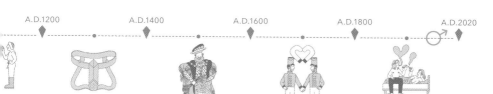

A.D. 1957

人類初の
地球外生命体とのセックス

　周知の通り、男というものはベッドの中での出来事をでっちあげては、己の武勇伝を語ったり、美人過ぎるパートナーの容貌を吹聴したりするものだ。そういう意味では、ブラジルの農夫アントニオ・ビリャス・ボアスに敵うものは未だかつて現れていない。1957年、当時23歳だったボアスは、異星人に攫われ、セックスを強要されたというのだ。そんなセックス武勇伝を思いつく者など、彼をおいて他にはいなかった。

　ミナスジェライス州に暮らすボアスは、日中は気温が高いため、夜に畑仕事をするのが常であった。1957年10月16日、いつものように夜間に畑を耕していると、空に赤い星が光るのが目に留まった。しかも、だんだん近づいてくる。やがて畑にUFOが着陸した。中から灰色のオーバーオールを着た1.5メートル大の地球外生命体が3名現れ、ボアスを飛行物の内へと引きずり込んだ。異星人たちは彼の服を脱がし、ペースト状の何かを塗りつけた。どうやら若者を昂奮させる作用のあるものだったらしい。

　気がつくとボアスは、異星人の女と抱き合っていた。脱色したかのような白い髪に、非常に尖った顎、猫のような青い瞳、真っ赤な陰毛の未知なる存在……とても煽情的であったと、ボアスは後に語った。コトが済むと、女は自分の腹を指でさし、それから指を上へ向けた。彼の子を孕んだ、腹の中の子を共に宇宙へ連れていくつもりだ。そう言いたいのだろうと、ボアスは理解した。彼を外に出すと、UFOは宙へ浮かびあがり、漆黒の夜空へと消えていった。

　1957年、星々は我々人類にとって手が届きそうなほど近くにある存在と

B.C.8000　　　　B.C.4000　　　　　B.C.1000　　　　　A.D.0　　　　　A.D.1000

なっていた。ソビエト連邦は牝犬のライカを乗せた宇宙船を打ちあげ、初めて哺乳類を地球軌道に周回させることに成功した。アメリカ合衆国ではUFOの目撃情報が数多く上がり、集団ヒステリーの様相を帯びる事態となった（2014年になってようやくCIAが、試験飛行中の軍用機と取り違えられたことが要因であったと公表した）。

　およそ人が未来を見つめる視線は、楽観的で好奇心に満ちている。月や火星の植民地化構想は、雑誌の掲載で初めて世に出た。ハリウッドが『世紀の謎 空飛ぶ円盤地球を襲撃す』（1956年）、『地球へ2千万マイル』（1957年）、『マックイーンの絶対の危機』（1958年）といった凄絶な映画作品を通して地球外生命体という新しい敵を生み出しているまさにその時代に、ボアスは誰よりも早く、性愛の領域を太陽系の向こうへと拡大させたのである。恋をしましょう、戦争じゃなしに……とね。

　さて、異星人から解放されたボアスは、どうやら自分は利用されたらしいと少々気分を害していた。地元の通信社に出来事のあらましを語り、次のように発言した。

「そりゃあ、怒りましたよ。異星人の女が発する音を耳にしたら、まるで獣と番っているような気分になりました」。

　あの晩の出来事は実際に起こったことだと、アントニオ・ビリャス・ボアスは生涯言い続けた。青い瞳と赤い陰毛の女は2度と地球に戻ってくることはなかった。その後ボアスは地球の女性と結婚し、4人の子どもを授かった。

A.D. 1962

085 世界初のセックスショップ

　1962年12月17日、とある月曜日のこと。ドイツの街フレンスブルクにあるアンゲルブルガー通り58番地に、これまでにない変わった店がオープンした。ショーウィンドーの上に掲げられた看板には「結婚衛生専門店」とあるが、それに目を留めたところで、通りを行き交う人々はクリスマス前の買い物で山のような荷物を持ち歩くのに忙しく、さして気にも留めなかった。だが好奇心がうずき、店内に入った者もいた。彼らが目の当たりにしたのは、世界初のセックスショップであった。

　店内には3つのコーナーがあった。200冊もの性教育書を収めた本売り場、その横にはいわゆる「衛生用品」を取り揃えた売り場、また客が従業員に個人的かつ内密の相談をするためのスペースも設けられていた。店にはポルノ誌やセックス入門書から避妊具、さらにはバイブレーターなど昂奮を促す性玩具（ディルド）といった品目が各種取り揃えられていた。

　店を開いたのはベアテ・ウーゼという女性。1919年東プロイセンの地方貴族の家に生まれ、改革教育運動の流れで創設されたことで当時から名の知れていた寄宿学校オーデンヴァルトシューレで数年を過ごした。1930年代には操縦士免許を取得し、映画会社ウーファでスタントの仕事に就いていた。第2次世界大戦中はベルリンから西部戦線へ戦闘機を移送する仕事をおこない、大尉の階級を持っていた。1945年にイギリス軍の捕虜となると連合国を相手に戦うこともなくなった。戦争が終わると今度は同胞たちの視野の狭さ、その偏屈ぶりを相手に彼女の新たな戦いが始まった。

| B.C.8000 | B.C.4000 | B.C.1000 | A.D.0 | A.D.1000 |

1946年、ウーゼはオギノ式による自然避妊法を紹介する折り畳みパンフレットを発行した。月経周期を記録し、妊娠しやすい排卵期を予測する。あとは排卵期の性交渉を控えればよいというのが、オギノ式避妊法だ。ウーゼはパンフレット3万部を1枚50ペニヒで販売した。

1951年には性を専門に取り扱った通信販売を始める。事業は成功し、10年後に店を1軒構えることを決めた。従業員たちも、共同経営者で夫のエルンスト＝ヴァルター・ローテルムントも、開店には異を唱えた。性専門店が街通りに現れることで住民が憤り、荒らしに来るのではないかと心配だったのだ。そんな彼らにウーゼは言った。

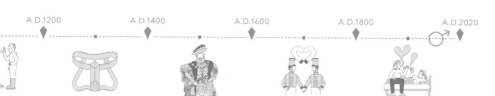

「みんなが穏やかに過ごす時期、クリスマスの直前に店を開くわ」。

皆が恐れていた暴動は、実際には起こらなかった。開店にあたってウーゼは近隣の店や市の建築局、商工会議所会頭といった面々に招待状を送った。だが誰も、報道陣ですら、招待状に記された開店日に現れなかったのだ。

開店時の世間の反応は冷淡ではあったものの、初年度の売り上げは黒字であった。1970年代の終わりには36店舗と成人映画館13館を展開し、売り上げ7000万マルクを計上するセックスグッズ帝国を築きあげていた。西ドイツの街では百貨店やファストフード店と並んで、「ベアテ・ウーゼ」と記された赤いネオンが歩行者通り沿いに光っていた。

1989年、ウーゼはドイツ連邦共和国功労勲章功労十字小綬章を賜る。だが彼女は、自分や事業が世間にどう思われようと意に介することはなかった。そんなわけでフレンスブルク・テニスクラブに入会を断られたときも、家の前にテニスコートを造ったのであった。

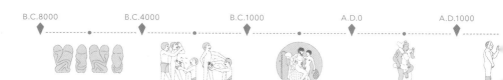

B.C.8000   B.C.4000   B.C.1000   A.D.0   A.D.1000

086 ライナー・ラングハンスの性回顧録

　ドイツの作家ライナー・ラングハンスは若かりし頃、劣等感と誇大妄想に苛まれていた。そして自身が童貞であるという事実もまた、彼を苦しめた。

　だが1960年代後半には、ドイツじゅうの男たちがラングハンスを妬むようになる。あのボサボサの巻き毛野郎は、世にも美しいウシ・オーバーマイアーとベッドで裸になって大麻を吸っているところを写真に撮らせたのだ、と。

　ラングハンスは、「快楽原則」や社会の「性本能の組織」なるものを理論上ではよくよく心得ていた。自伝『最初の68年世代――これが私だ』で、彼はこう綴っている。

　「セックスに関していえば、慎重かつ真面目に取り組むべきテーマであると私は考えていました。（中略）まずは1人の女性と時間をかけて会話をする必要がありました。抱えているであろう困難や障害を、人は互いに理解し合うことができるのか、それを探るためにも」。

　彼にとって最初の恋人となるビルギットと出会ったとき、ラングハンスは25歳であった。短い髪をした美しい女性だった。ビルギットとの会話は何であれ楽しんだ。だが、感じていることや思っていることのすべてを言語化することなどできやしない。ビルギットはそれをよく心得ていた。

　1965年のあの日のことを、ラングハンスは鮮明に覚えている。

　「『来て』、と彼女は言いました。『今がそのときよ。私が教えてあげる』」

　ビルギットはラングハンスを連れて共同住宅の小さな屋根裏部屋へ入り、小屋梁の下に置かれた小さなベッドの前に案内した。

「そして、コトが起こりました。彼女はとても美しく、とても優しく、とても慎重な手つきで私としました。私の初体験でした」。誇らしげにラングハンスは記した。

　ラングハンスはこの後、自身に手取り足取り閨の技を伝授してくれたセックス師匠のビルギットと同居し、さらにイタリアへ旅行しロマンスを愉しんだ。2人の関係解消は、初めて恋人を持つラングハンスにとっては完全に予想外の出来事であった。ビルギットが荷物を詰めるのを見たラングハンスは跪いて、もう一度だけ一緒に寝てほしいと懇願した。そんな彼の姿に、ビルギットも折れた。

「彼女は嫌々ながらも、いや、どちらかというと私を憐れんで、最後に一度だけやらせてくれた。真のオーガズムに達したのは、このときが唯一である。私は呂律が回らなくなり、わけのわからないことを口にしていた。言いたかった言葉が出てこなかった。ここにいてくれ、と。意識は茫然とし、彼女の存在をほとんど感じなかった。そして、彼女は行ってしまった」。

　ビルギットの去った後にできた空白を、ラングハンスは生涯をかけて埋めようとしていたのだろうか？

　2年後、ラングハンスは体制側に与することを良しとせず、生活共同体「コミューンI」を創設する。そこでは誰もがセックスをすることが許されていた。言い換えれば、セックスは義務であった。

　現在、ラングハンスはミュンヘンのシュヴァービング地区にて、4人の同世代のパートナーたちとともに「ハーレム」生活を送っている。

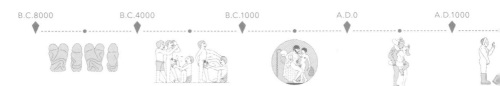

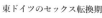

A.D. 1969

087 東ドイツのセックス転換期

　1969年に東ドイツで、とある本が出版される。東ドイツという社会主義国において、人間同士の交際に新たな秩序を設けようと提唱する本である。その名は『男と女の親密なる付き合い——健全なる性生活と乱れた性生活の問題』。専門書にありがちな事務的な副題がつけられているために誤解されやすいが、実際には退屈からはほど遠い内容であった。

　著者ジークフリート・シュナーブルは臨床心理士にして、カール・マルクス・シュタット県に所在する結婚・性生活相談所の所長だった。お隣の西ドイツでは「コミューンⅠ」の住民たちくらいしか明け透けには語ろうとしない話題を（第86章「ライナー・ラングハンスの性回顧録」参照）、シュナーブルは300ページにわたって論じたのだ。自慰も同性愛も、「愛のないセックス」だって問題ない！と。また、文章と図解で最良の性交体位を説明した概説も掲載されていた（とはいえ初版では棒人間がセックスしている図ではあったが）。

　複数の出版社に原稿を送ったシュナーブルだったが、そのすべてから断られた。ようやく出版にこぎつけると、ひと晩のうちに彼の著作はベストセラーとなったのである。第18版まで出版され、100万部以上を売り上げた。

　白スーツを着て公に現れるシュナーブルは、一躍スターとなった。社会体系を巡る冷たい戦争が繰り広げられるなか、せめて寝室ではわずかなりとも平安を得てほしいというのがシュナーブルのたっての願いであった。

　「我々の暮らす社会主義国家では男女同権が実現し、幸せな結婚生活を築く礎ができた」。序文からの引用である。「我々一人ひとりが、自らのおこない

A.D.1200　　　A.D.1400　　　A.D.1600　　　A.D.1800　　　A.D.2020

    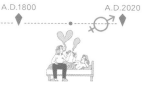

を成長させ、深化させることが望まれる。さすれば争いのない、己という存在を豊かにする性生活を送ることができるのだ」。

　1ページ目ではまず「性生活の基礎」を取り上げ、「学問知識を世間に広めようとするときに、性愛という領域にあえて触れまいとする」メカニズムが働きがちであると記した上で、いよいよ本題に入った。

　長年にわたる性生活相談所での経験と、教授資格を取得する際に3500人の東ドイツ市民にとった性生活に関する事細かなアンケートに基づいて、シュナーブルは自身の理論を展開させていった。教授資格取得から数年後、彼の研究成果は、軽々しく個々人の私生活を明かしたものであるとして政府によって発禁とされたが、シュナーブルは当局の指示に反し東ドイツ初の性に関する研究書を破棄しなかった。検閲に気づかれることなく著書『男と女の親密なる付き合い』に自身の研究成果を入れ込み、世に出したのである。

　多くの家庭の寝室ではベッドは「隅に」置かれているが、これでは互いに愛撫をしづらくなってしまう。如何せん鉄筋コンクリート造りの狭い部屋のことなので、ベッドの配置を変える以外の方法を考えなくてはならない。シュナーブルは著書のなかで、寝床におけるアドバイスやテクニックを紹介している。女性へのアドバイスはもちろん、（当時としては異例だったが）男性向けのものも含まれていた。

「いかなる外的環境が女性のオーガズムを妨げるのか？　いかなる外的環境が女性のオーガズムを促すのか？」

「女性が絶頂に達しないのは、男性の責任なのか？」

　こんな疑問で男性を挑発したかと思うと、「女性が男性に期待することは何だろうか？」と友好的な疑問を提示した。

　西ドイツの女性たちが家事だけを請け負っていたのに対して、東ドイツの女性は男性と同じように働いて稼ぎを得ていた。それだけでも進歩的であっ

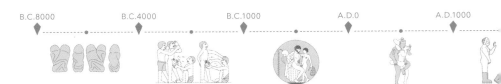

B.C.8000　　　B.C.4000　　　B.C.1000　　　A.D.0　　　A.D.1000

たが、さらにシュナーブルが「女性がオーガズムを得やすい性交体位の意義」について記したことは非常に革新的であった。また男性については「機能障害による心理状態」や「男根の硬度不足」、早漏などを取り上げた。

東ドイツという国が性に対していかなる意識を持っていたか、標準参考図書を見ればはっきりとわかる。因習に凝り固まったお隣の兄弟国とは異なり、東ドイツの市民には自然で自由な恋愛が求められていた。

『男と女の親密なる付き合い』の刊行からまもなくして政府が大々的なセックス・キャンペーンを実施したのは当然の成り行きであった。まずピルが無償で配布され、それから妊娠3か月までであれば堕胎が許されるようになった。同性愛者への処罰を定めた「ホモセクシュアル条項」なるものも1968年に廃止された（西側で同条項の廃止が実現したのは、再統一後の1994年にしてようやくのことであった）。

こうした諸々の転換を経た後、シュナーブルはインタビューで次のように語った。

「（東ドイツの）ドイツ社会主義統一党の政治局が考えていることは、なんとなくわかりますよ。人々が互いに幸せで、ベッドの上でも幸福を噛みしめていれば、政治についてあれこれと愚かな考えを巡らすこともなくなる、とでも思っているのでしょう」。

A.D.1200　　　A.D.1400　　　A.D.1600　　　A.D.1800　　　A.D.2020

A.D. 1970

088 ドイツ公共放送の乳首騒動

　ドイツの公共放送局第2ドイツテレビは、ある日爆破予告を受けた。新聞はこぞって「高尚な嗜好に対するテロ行為」を報じた。世の親は失望し、子どもたちの目を塞がなくてはならなかったと苦情を言い、連邦議会議員に対して抗議の手紙を送った。

　そもそもの発端は、クイズ番組「Wünsch Dir was（あなたに幸あれ）」である。1970年11月7日、問題となったこの番組はプライムタイムで放送された――しかも生放送で！

　番組にはドイツ、オーストリア、スイスのそれぞれの国から家族が参加する。視聴者の前で、自分たちが家族のことをどれだけよく知っているのかを証明してみせるのだ。その日、ドイツからはシュトゥーア一家が参加していた。父、母、息子と娘という絵に描いたような西ドイツ家庭であった。

　司会のディートマー・シェーンヘルとヴィヴィ・バッハは、一家の娘17歳のレオニーをスタジオから下がらせると、両親と息子に5つの衣装を見せた。5つの服のなかから、レオニーがどれを選ぶかを当ててみなさいということだ。

　息子のロベルトが言った。「僕が間違ってなければ、このズボンの服だな」。

　スタジオの観客が、くすくすと笑いを漏らした。父親も、息子と同じ服を選んだ。母親も同じ意見だった。

「なぜ、この服なのですか？」

　司会のシェーンヘルが尋ねた。

「うちの娘はズボンが大好きなのよ」。

　観客席から大爆笑が湧き起こった。

「ズボンよりも、もっと気になる点があると思いますけど」とシェーンヘル。

　スタジオの裏側では、レオニーが5つの衣装から自分が着るものを選んでいた。さて、彼女が選んだのはブラウスとズボンの組み合わせ。そう、家族が選んだものと同じだった。レオニーは服を身につけるとスポットライトの下へと現れ出た。カメラの前に立つ彼女は自信に溢れており、頬が紅潮していた。

　レオニーも家族も気がつかなかったのか、それとも気にしなかったのか。上半身に纏ったブラウスは、透けすけのデザインだった。だというのにレオニーは、下にブラジャーをつけることもなく、透けたブラウスを着たのである。

　司会のシェーンヘルが言った。

「驚くべきことに、全員の意見が一致しました。3人ともがまったく同じ答えで一致したのです。あなた方に6点差し上げます」。

　結果、どうなったか。冒頭の爆破予告と抗議の手紙の騒ぎである。

　渦中の人物レオニーはというと、透けすけの服でスタジオに現れたことを決して後悔することはなかった。放送後、90通の求婚の手紙を受け取ったのだと嬉々として語ったのであった。

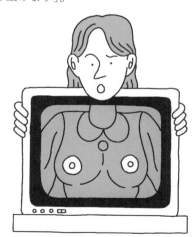

A.D. 1970

089

空前のヒット作
『女子学生㊙レポート』

　そこには、アメリカの法廷ドラマの大作『十二人の怒れる男』や『アラバマ物語』を彷彿とさせる光景が広がっていた。12人の男女が机を囲み、真実か偽りか、無罪か有罪かの決定を下そうとしている――。

　ドイツの作品『女子学生㊙レポート』では12人の陪審員が一堂に会する場面こそないものの、代わりに中等教育機関の保護者会会議が開かれる。議題はもちろん、殺人事件ではない。

　18歳のレナーテ・Wは退学の危機にあった。発電所へ校外学習で行ったときに、バスの運転手を誘ったのだ。出来事そのものに害があるとは、どちらかといえば言い難い。当事者はどちらも楽しんだし、誰かを傷つけたわけでもない。だというのに情状酌量の余地なく、すべてが失われようとしている。だが実際問題、ドイツという国では何が禁じられ、何が許されているのだろうか？

　状況は、レナーテ・Wにとって不利だった。保護者会は、彼女の行為に憤っていたのだ。だがベルナウアー博士が口を開いた。校長の要望で相談役として会議に参加していた人物だ。両親たちは鼻で笑った。相談役だって？　ただの心理学者ではないか、と。ベルナウアー博士は動じなかった。煙草に火をつけ、こう言った。

「今どきの若い子はね、性について、あなた方が思っているよりずっと多くのことを自分の頭で考えているんですよ。我々大人の性道徳はね、とっくの

B.C.8000　　　B.C.4000　　　B.C.1000　　　A.D.0　　　A.D.1000

昔に廃れて使いものにならなくなっているんです」。

　保護者会会議は、入れ子構造の作品『女子学生㊙レポート』のなかで外枠を構成する場面にあたる。西ドイツで生み出された異質の映画。品性の欠片もないのに、なぜだか意識を惹きつけられてしまう。

　ベルナウアー博士は、話を続ける。学術論文を引用し、さながら『デカメロン』のごとく、次から次へと若者の性愛事例を物語るのであった（第40章「フィレンツェのエロティック百物語」参照）。映画では博士の話す物語の詳細が、ドラマとして再現される。

　たとえば、大好きな体育教師の前では「どうしても脚を閉じることができない」17歳のマーレーンの話。片親家庭に育ち、腹違いの兄弟への想いが募って一線を越えてしまったアンネの話。ブティックで万引きしたところを捕まり、通報を免れるために警備員と関係を持った16歳の愛らしいイリーナの話。

　映画の下地となったのは、1970年に出版されたギュンター・フノルトの同名の書籍である。44歳だったフノルトは当時、ハレ音楽大学の講師職にあった。14歳から20歳の少女たちに性交渉への興味関心を聞いて回り、12人とのインタビューの内容を書籍のなかで公開したのだった。

　これに感銘を受けたのが51歳のミュンヘンの映画プロデューサー、ウォルフ・C・ハルトウィッヒであった。3万マルクで映画化権を買い、短期間で映画を完成させ、公開したのである。出演女優のほとんどが素人、特にスーパーマーケットの店員に偏っていた。ハルトウィッヒはそれぞれに600マルクの日給を支払った。プロの俳優も参加しており、『女子学生㊙レポート』をきっかけに芸能活動を本格的に始めた者もいた。

　たとえばコンスタンティン・ヴェッカー、イングリッド・スティーガー、サシャ・ヘーン、ハイナー・ラウターバッハ、ユッタ・シュパイデルといっ

A.D.1200
A.D.1400
A.D.1600
A.D.1800
A.D.2020

た面々が、シリーズ13作に出演したのであった。

　本国ドイツでは600万人の観客を動員し、今現在においてもドイツ映画史トップ10に名が挙がるほどだ。また世界各国でも上映され、シリーズ全体の総動員数は1億人を超えている。

　映画そのものは、赤裸々な性描写が映し出されているわけではない。性描写はあるものの、近接撮影されているわけでもないし、俳優の腹に男性器を模したテープを貼りつけることで画面に陰部が映らないようにしていた。

　とはいえ、このソフト・ポルノ作品を見ようと1970年代に何百万人もの観客が映画館に足を運んだのは驚きだ。もしかしたら自分の背後に座る者が、映画の男たちのように少女と肉体関係を持っているかもしれない。そんな考えが頭によぎったとしても、観客が怖気づいた様子はなかった。

　ドイツにおいて、1968年闘争の時代の挑発的な性のあり方や、サマー・オブ・ラブ（1967年夏のアメリカ・サンフランシスコを発端とするヒッピー・ムーブメントのピークを象徴する社会現象）の精神は、1970年代にも息づいていた（第86章「ライナー・ラングハンスの性回顧録」参照）。鉛のように重苦しい空気を纏った「経済の奇跡」と呼ばれる時代に別れを告げ、新たな未来へと歩み出そう。西ドイツ市民はそう決意したようだった。やり方としては不器用だが、性という領域に好奇心と関心を覗かせる西ドイツ市民の姿を『女子学生㊙レポート』は映し出したのであった。それは西ドイツという国の感情の発露を描いたがゆえの成功だった。

　さて映画もいよいよ終わりに差しかかる頃、ベルナウアー博士はついに保護者陪審員たちを頷かせた。昔ながらの淑女の伝統を、現代の学問が打ち破ったのだ。新時代の性欲が、古き良き抑圧に勝ったのだ。常日頃から優秀な成績を収めていたレナーテ・Wは退学を免れた。大学入学資格試験を受け

B.C.8000　　　B.C.4000　　　B.C.1000　　　A.D.0　　　A.D.1000

ることもできる。

　映画の終わり、画面は学校を去る保護者たちの姿を映し出す。

　白髪の大柄な男性が言った。「そうはいってもなぁ、根本的なところでま
だ迷っているんだ」。

「なぜ会議でそれを言わなかったのだ」、と別の父親が尋ねた。

　白髪の男が答えた。「まあ、その、いつまでも古い考えにしがみついてい
るわけにもいかんだろう」。

「なるほどね」。先ほどの父親が言った。

A.D.1200　　　　　A.D.1400　　　　　A.D.1600　　　　　A.D.1800　　　　　A.D.2020

A.D. 1978

090 ドイツ発祥の性感マッサージ

32分間たっぷりと味わい続けるオーガズム。ほの暖かい部屋の中で裸になったマッサージ師が1時間から3時間もの時間をかけて体の隅々まで、もちろん性器も揉みほぐして、快感が生み出される。水、風、音、匂い、味。絶大な至高体験。愛の普遍性。絶頂や射精を何度だって味わうことができる。施術が終わると、経験したことを話すのが規則だ。

以上が「本来の」タントラマッサージの手引書の、大まかな要約だ。スピリチュアルな要素とセクシュアルな要素を結び合わせた施術法こそが、タントラマッサージである。古代インド発祥にあらず、1970年代後半にベルリンで生み出された。

タントラマッサージを世に出した男、アンドロ・ローテは1941年生まれだ。幼少期はドイツ南部の「黒い森」にある祖父の自然療養所で過ごすことが多かった。「常識にとらわれず自由に思考を巡らせる芸術家のような環境」下で育ったと、当時を思い出しながらローテは語った。プフォルツハイムの美術大学に勤務していた父の絵画教室に通い、ヌードモデルも務めていた。人生に関する大いなる疑問の答えは、必ずしも西欧や大学医学の教材から見つかるとは限らない。そう考える環境で、ローテは生まれ育った。

1975年ローテは、インドのプネーにある導師バグワン——後にオショウと呼ばれる——の道場を訪れた。同じくグル・バグワンのアシュラムに滞在し、当時は指導者D・ペーターという名前で活動していた哲学者のペーター・スローターダイクは、後にこう語った。

B.C.8000　　　B.C.4000　　　B.C.1000　　　A.D.0　　　A.D.1000

「アシュラムで宗教の名のもとにおこなわれた性行為の90パーセントは、
つまらぬ抜き差しであった」。

　だがローテは、つまらないとは思わなかったようだ。トルコからクルディ
スタン、アフガニスタン、バルチスタン、パキスタン、インド、スリランカ、
ネパール、果てはチベットを巡る旅から帰国すると、1978年にベルリンの
地に「スピリチュアル・タントラ・センター」を開設した。世界初のタント
ラマッサージを施す施設である。また「タントラマッサージ」を特許申請し、
自身の知的財産として保護した。

A.D.1200　　　　A.D.1400　　　　A.D.1600　　　　A.D.1800　　　　A.D.2020

そしてローテは後に共同経営者および人生の伴侶になる、サラナム・ルドヴィク・マン——ノーベル賞作家トーマス・マンの大甥[※]——と出会った。ドイツの偉大な教養人の末裔もまた、インドの性愛秘儀を普及するのに一役買った。

　「タントラ」とはホリスティックな生き方をいうのであり、それを性技に矮小化させた「タントラマッサージ」には、以前よりインドから抗議の声があがっている。だがローテは意に介すことなく、「世紀の変わり目に記された神智哲学の」書だとか、「伝統的なインド密教の」文献だとか、「禅宗の」資料などを引っぱり出して自身の正当性を主張している。

　同様に大きな影響を与えたものとして彼が挙げたのが、「現代アメリカの人間性心理学、オルゴン理論、インドのシャーマニズムや、原初絶叫療法、家族療法といったニューエイジ・セラピー、E・キューブラー・ロスの提唱した臨死体験、脳科学者ジョン・C・リリーと心理学者ティモシー・リアリーの実施した幻覚剤研究、および現代量子論」であった。つまりローテの教義は、世界各国のスピリチュアルな理論を編集したベスト・リミックス版であるといえる。

　2004年に「ドイツ・タントラマッサージ協会」が創設されるも、タントラマッサージは現在に至るまで健康保険の適用対象外である。

※甥や姪の息子

B.C.8000　　　　　B.C.4000　　　　　B.C.1000　　　　　A.D.0　　　　　A.D.1000

A.D. 1980

091 背徳の時代の終焉

　最後の夜、最後の舞台。スティーヴ・ルベルがDJブースに立った。マイクを片手に、観客たちを見おろす。彼が酔っているのは誰の目にも明らかだった。ハイにもなっているのだろう。体がよろめき、今にもブースから落ちそうだ。終いには体を支えられる始末。ルベルは体勢を取り戻すと、フランク・シナトラの曲を歌った。『マイ・ウェイ』、これ以上なくふさわしい曲だ。

　ニューヨークの「スタジオ54」。ルベルが友人のイアン・シュレーガーと共に1977年に立てたディスコだ。1980年2月4日の最後の夜をパーティーで締めくくった。パーティーのテーマは「背徳都市ゴモラ現代の終焉」。

　誇大表現などではない。「スタジオ54」の運営された3年間を一言で言うなら「放埓」。ダンス、アルコール、ナンパ、そのほかディスコでできることなら何でもやった。日常を離れ、一時でも忘我に浸りたいと、人々は足を運んだ。ファッションデザイナーのトム・フォードは、こう語った。

「あの場全体が、馬鹿げた意味のない騒ぎに包まれていたんだ。悲嘆に暮れる者なんていやしなかった。みんなノリノリだったんだから」。

　ディスコ・ミュージック、美しい肉体、アルコール、ドラッグ……それらが混ざり合って、現実離れした光景が生まれていた。あっちでも、こっちでも、人々が浮かれ騒いでいた。特にダンスフロアの頭上、バルコニーには人が溢れていた。ソファや椅子、クッションには、ゴムのカバーが張られていた。そうしておけば、あとで従業員が清掃するのに楽だったからだ。

　誰もが「スタジオ54」に行き、羽目を外して楽しみたがった。ゲイ、ドラァ

グクイーン、スーパーモデル……かつて「スタジオ54」に足を運んだ著名
人はたくさんいる。アーティストのアンディ・ウォーホル、女優エリザベス・
テイラー、人権活動家ビアンカ・ジャガー、小説家トルーマン・カポーティ、
実業家ドナルド・トランプ。それにサッカー選手で元西ドイツ代表のフラン
ツ・ベッケンバウアーも。当時「ニューヨーク・コスモス」での華々しい活
躍に幕を下ろし、ドイツのプロサッカーリーグであるブンデスリーガへ復帰
しようという頃であった。

「ドリンクを片手に私は、静かに傍観していました」。当時を思い出してベッ
ケンバウアーは語った。「ニューヨークという都市は、私の生涯のなかで最
も美しい時代を彩る土地です」。

「スタジオ54」の成功の秘訣は、多種多様なゲストを一時に招いたことにあ
る。かつてルベルは、こう語った。

「店の入口の前に立つときって、サラダの具材を何にしようかとか、劇のチ
ケットを買おうかどうしようか、と考えているときのような心境にあるんで
す。ゲストが異性愛者（ヘテロセクシュアル）に偏り過ぎると、場を盛り上げる活気が足りなくなっ
てしまう。かといってゲイに偏り過ぎると、華がない。我々が求めているの
はバイセクシュアルなんです。マジで、ガチのバイセクシュアルです」。

　1979年12月、国税庁による家宅捜索がおこなわれ、「スタジオ54」のあ
ちこちからドル札の詰め込まれた袋が見つかった。まもなくルベルとシュ
レーガーは、250万ドルを脱税したかどで3年半の禁固刑を宣告された。

　パーティー「背徳都市ゴモラ現代の終焉」とは、彼ら2人のシャバでの生
活の締めくくるものでもあったのだ。翌日になれば牢に入り、まずは13か
月の刑期を務め上げなくてはならない。バーから出された最後のドリンクを
受け取ったのは、俳優シルヴェスター・スタローンであった。

　ただ、脱税が発覚しなかったとしても、いずれ「スタジオ54」は終わり

B.C.8000　　　B.C.4000　　　B.C.1000　　　A.D.0　　　A.D.1000

を迎えることになっていただろう。1970年代末のニューヨークの財政は破綻寸前にあった。だからだろう、現在とは違い営業時間の規定が緩められ、開放的なセックスを愉しむことも可能であった。

「スタジオ54」でも一度、乱交がおこなわれた。まだエイズの感染が拡大し、人々の性生活が永遠に変わる以前のことである（第93章「あるベルリンの医師のHIVとの闘い」参照）。

「私は天国にいたのか、地獄にいたのか。今でもわからない」。時の大統領ジミー・カーターの母、リリアン・カーターは「スタジオ54」を訪れたときのことを語った。「どちらにしても、とても不思議な魅力に包まれた場所だったわ」。

A.D.1200　　　　A.D.1400　　　　A.D.1600　　　　A.D.1800　　　　A.D.2020

A.D. 1998

092 クリントン・スキャンダル

　問題がここまで大きくなってしまったのは、間違った方向に思いきり舵_{かじ}を
切ってしまったことが原因なのではないか。騒動が収まってようやく、関係
者全員が一様にそんな思いを抱えた。

　1998年8月、大陪審の1人が25歳のモニカ・ルインスキーに個人的に語
りかけた。アメリカ合衆国大統領との関係について数日にわたって聴取を受
けたルインスキーは、これまで法廷で幾度も涙を見せていた。

「あなたがここに来るのも、今日が最後になります。その……私としても、
このような聴取は2度とおこないたくはありません。法廷を去るあなたに、
ご多幸をお祈りします。幸せとなり、成功されますよう。そして、神のご加
護があらんことを」。

　ところが遡ること1時間前、ルインスキーに対する陪審の態度は思いやり
があるとはいえないものであった。

「本日はスキャンダルを振り返りましょう。彼を愛していたのですか？　それ
とも性的脅迫観念に駆られてのことだったのですか？」

「大統領とあなたは、葉巻を使った性行為をおこなったのですか？」

「大統領もあなたのことを愛していたと信じていたのですか？」

　とても同じ陪審員だったとは信じ難い。

　スキャンダルは図らずも政争に飛び火した。1998年、ビル・クリントンは、
政治生命を賭けていた。合衆国議会が在職大統領の罷免を求めて弾劾を訴追
したのは、アメリカ史上2度目のことであった。だがクリントンは強姦をし

B.C.8000　　　B.C.4000　　　B.C.1000　　　A.D.0　　　A.D.1000

たわけでもなければ、児童ポルノを所有していたわけでもない。偽証と司法妨害、これらが弾劾裁判に至らしめた彼の罪であった。

　発端はアーカンソー州知事時代、ポーラ・ジョーンズという女性との関係を追及する民事訴訟のなかで、明らかに嘘とわかる証言をおこなったことであった。原告側の弁護士にこう問われたのだ。

「モニカ・ルインスキーと性的接触を持ったことはありますか？」

　辞任を求める声が高まり、新聞が大見出しでスキャンダルを報じ、特別番組が組まれる一方で、そもそもの問題は世間から忘れられていった。そう、既婚の男が中年の危機にあって、若い女性に浮気をしたのを咄嗟に誤魔化したという事実は。

　歴代アメリカ合衆国大統領のなかで、不貞を働いたのはクリントンが初めてではない。「アメリカ独立宣言」を起草したトマス・ジェファソンは、奴隷のサリー・ヘミングスと関係を持っていたと言われている。フランクリン・ルーズベルトは、妻の秘書であったルーシー・ラザフォードに手を出した。ジョン・F・ケネディは複数の相手と関係を持ち、特に1960年代には「性の女神」マリリン・モンローと定期的に褥を共にしていた。

　ワシントンではスキャンダルなんてものは公然の秘密であり、ジャーナリストも政敵もあえて触れることはしない。ワシントンの観光名所にして、アメリカという国の聖地でもあるナショナル・モールには、先に挙げた3名の大統領の像が立っている。

　クリントン・スキャンダル、またの名を「モニカ・ゲート」あるいは「オーラル・オフィス」スキャンダルとも呼ばれる一連の騒動によって、政治文化の変容ぶりが明るみに出た。社会を動かす2大勢力──フェミニズムとキリスト教右派──は、常であれば互いに相容れない同士であるのだが、今回の件に関しては両者がたまたま同じ方角を向いたことで、ここまでの大きな騒

A.D.1200　　　　A.D.1400　　　　A.D.1600　　　　A.D.1800　　　　A.D.2020

ぎに発展したのだ。

　1968年当時の性文化に反発してカウンター・カルチャーが起こり、フェミニストたちはかの有名なスローガン「個人的なことは政治的なこと（The personal is political)」を掲げ、福音主義者たちは「人格教育」を標榜した。婚外交渉を持つような政治家は、結婚生活に責任を持てない人間だ、まして国家機密など抱えていられまい。そう考える向きが浸透していた。型通りの性関係——一夫一妻、異性愛、結婚の誓いに守られた関係——これらから外れる者は、人格が欠けているとみなされるようになった。こうなると、セックスが政争の武器として利用されるようになる。

　クリントンは政治活動を始めた当初から、女たらしでプレイボーイであると評判であった。だが特別検察官ケネス・スターが、ルインスキーとの不倫スキャンダルを引き受けたことで風向きが変わり、クリントンはついに危機に陥る。元々スターは別件で違法行為があったのではないかとクリントン政権を調査していたのだ。スターという男、超がつくほど保守的で、粘着質で、ユーモアを解さない人間であった。7年かけてクリントンを調査するも、成果は得られずじまいであった（最終的にあがった報告書は452ページにおよび、脚注が1660か所、段ボール箱18個分の証拠資料があったという）。

　調査が進むにしたがい、ルインスキーと大統領の関係は公になっていった。大統領を何回イカせたか（2回）、大統領のペニスはどんな形か（曲がってい

て、母斑があった）、などなど。また大統領が愛人と寝ることは決してなく、オーラルセックスや激しいペッティングをし合うと、浴室で自慰をして洗面器に射精するのが常であったという（第11章「オナンはオナニーしない」参照）。ルインスキーの子を認知せよと訴えられるのを避ける目的があったのだろう。DNAを残したくなかったのだ。ルインスキーの服に精液が付着していたことが明るみに出たときには、ペテンに長けたクリントンといえど、さぞかし歯がゆさを感じたことだろう。

　だがクリントンはなんとか、スキャンダルを乗り切った。小事に至るまで細かく事実を法的に論証したことで、かえって首の皮が繋がったのだ。クリントンは、フェラチオは性的接触にはならないと主張した。ルインスキーとのあいだに性的関係があったのかを問う質問に対する彼の答えには世界中から注目が集まった。

「『ある』という言葉が正確に何を意味するかによります」。

　だが裁判の成り行きよりも、弾劾裁判が右派の政治キャンペーンであることが次第に世間に認知されるようになったことのほうが、クリントンの政治生命を永らえさせるのに有効だったといえる。それにホワイトハウスから赤裸々な情報が発信されるのにも、みながうんざりしていたのだ。……少なくとも、しばらくは聞きたくない心境なのは間違いない。

　一時、特別検察官スターも婚外関係を持っているらしいと噂が流れたことがあった。白髪の真面目でつまらない御大は、非常に憤ったという。スターが特に不快に感じたのが、ワシントン市民の反応だ。あの御大にそんなことができるとは、ワシントンの誰1人として信じなかったのだ。

A.D.1200 A.D.1400 A.D.1600 A.D.1800 A.D.2020

A.D. 2006

あるベルリンの医師の
HIVとの闘い

　2006年のある晴れた夏の日のこと。ゲロ・ヒュッターは、ティモシー・レイ・ブラウンに出会う。この日は、2人の人生にとって転換点となった。そして世界の行く末も変わったのだ。

　当時28歳のヒュッターは、ベルリンの大学病院のガン病棟に勤める医師であった。一方、ブラウンは翻訳者であり、プロジェクトマネージャーとしても活動していたが、1995年にHIV検査で陽性反応が出たという。ここ2か月というもの、体調が悪化し、発熱、倦怠感が症状として現れたため、主治医の紹介でヒュッターのもとを訪れたのだった。

　ヒュッターは採血し、検体をラボで調べさせた。診断結果はすぐに出た。ブラウンは白血病に罹っていたのだ。ブラウンは診断結果に身を震わせるのみ。よもや白血病を患っていることが幸運だとは、予想だにしていなかった。

　遡ること四半世紀前の1981年春、アメリカ疾病予防管理センターが、ロサンゼルスの5人の青年の症例を初めて報告した。5人とも若く、健康体であるにもかかわらず、放置すれば死に至らしめる非定型肺炎を患っていたという。この研究報告が発表されるや、世界中の医師から同様の症例が報告された。

　自覚症状のないまま病が進行すると、体重の減少や口腔カンジダ症を患うようになる。患者の大半がゲイであったことから、性病と判断されるまでさほど時間はかからなかった。新たに発見された病は、後天性免疫不全症候群——AIDS——と名付けられた。

　1983年になってようやく、ヒト免疫不全ウイルス——HIV——の存在が認

B.C.8000　　　B.C.4000　　　B.C.1000　　　　A.D.0　　　　A.D.1000

められた。人の免疫細胞を破壊するウイルスだ。肉体が衰弱すると、いよいよエイズという病が本格的に体を蝕んでいく。1990年代には、エイズ患者の25パーセントが発症から1年以内に亡くなった。HIVがいつ、どこで、どのように現れたのかについては、様々な説が唱えられているものの、未だ判然としていない。ただ明らかなのは、数年のうちに瞬く間に世界中に広がったという事実である。エイズは、世界中が抱える現代の感染症となった。

　特にゲイの男性たちの罹患が多かった。HIVがアナルセックスで比較的感染しやすいためだ。だがウイルスの感染よりも、パニックと偏執症が拡大するスピードのほうが速かった。《シュピーゲル》誌はエイズを「快楽疫病」と呼んだ。後にローマ教皇となるヨーゼフ・ラッツィンガーは、こう言った。「これを神の罰と呼んではなりません。これは自然の抵抗なのです」。

　ドイツの政党キリスト教社会同盟所属の政治家ペーター・ガウヴァイラーに至っては、HIV陽性の人間を特殊療養施設に隔離するよう要請した。罹患者はエイズ持ちという烙印を押され、彼らを社会から排除しようとする動きにより、病自体の研究や必要な議論が思うように進まなかった。

　だが大多数を占める異性愛者たちも次第に、自分たちがエイズとは無関係ではいられないことに気づき始めた。支援や予防の取り組みが始まり、人々の性との向き合い方が変わっていった。長い戦いの始まりであった。現在まで、世界中で3600万人がエイズ関連の疾病で亡くなっている。

　ブラウンはゲイであった。どこで感染したのかは、わからない。もしかしたら1966年に自分の生まれた街シアトルかもしれないし、ヨーロッパ旅行中かもしれない。1990年代前半に暮らしていたベルリンでのことかもしれない。HIV陽性と診断されると、ブラウンは当時市場に出始めたばかりの「高活性抗レトロウイルス療法」と呼ばれる治療を受けた。体内のウイルスの増殖を抑制することで、エイズの発症を遅らせることができるというものだ。この治療はブラ

ウンにも効果を発揮した。彼は比較的普通の生活を送ることができたのだ。

だが2006年、ブラウンはエイズを発症していることよりも、白血病罹患という診断結果に不安を抱く。ベルリンの大学病院で彼の治療にあたったゲロ・ヒュッターは、ブラウンに化学療法を施した。しかし効果はほとんどなかった。ヒュッターはデータバンクを検索し、ブラウンに適合する骨髄ドナーの情報を探した。驚きの結果が出た。該当者232名。こんな高い数字、そうそう出てくるものじゃない。

ヒュッターは学生時代に読んだ記事を思い出した。全人口のうち1パーセントにはCCR5遺伝子に異常があり、HIVに対して耐性を持つという内容であった。そこでヒュッターは考えた。HIVから細胞を守るCCR5変異体を持つ骨髄ドナーを探そう。もしかしたらブラウンの白血病とHIV感染を治癒できるかもしれない、と。

ヒュッターがHIV感染者の治療にあたるのは、これが初めてだ。エイズという領域について、詳しいわけでもない。それがかえってよかったのかもしれない。エイズ治療について詳しい者であれば、はっきりとした見解を持っているがゆえに、常とは異なる治療法を偏見なく受け入れることがなかなか容易でない。ヒュッターは、医師としてはヒエラルキーの最下層にいた。そのため2人の同僚にしか治療計画を打ち明けなかった。

治療結果は僥倖（ぎょうこう）であった。

「世界中に何百万とHIV感染者がいます。でも治癒したのは、私が初めてなんです」。そう話すブラウンもまた、己の幸運を信じられない様子であった。「私自身も、最初は信じようとはしませんでした。研究者がたくさんやってきて、間違いないと保証してくれた。それでようやく、信じることができました」。

その後ゲロ・ヒュッターはじめ、他の医師も別の感染者に同じ治療を試したが、いずれも効果は現れなかった。だがブラウンの治療が成功したことは、

B.C.8000   B.C.4000   B.C.1000   A.D.0   A.D.1000

エイズ研究に大きな衝撃を与えたのである。現在、研究者たちが取り組んでいるのは、HIV感染者の骨髄を採取し、遺伝子操作でCCR5変異体を人工的に作り出し、幹細胞を元の肉体に移植する試みだ。約10年かけて検査していくことになるようだ。

　もう1つの試みが、「機能的治癒」。HIVは感染者の体内に残るものの、現代医療で増殖を抑え、症状の進行を阻むという方法だ。数年のうちに突破口が見つかるのではないかと期待されている。

　ブラウンの症例は、象徴的な意味を持つようになった。何百万もの感染者が新たに勇気をもらった。人間がHIVに打ち勝つことができることが証明されたのだ。

　ブラウンは現在アメリカに暮らしている（本書が出版された2016年時点の情報。ブラウンは2020年10月に白血病で亡くなった）。エイズ治療を支援するための基金を設立し、時にはゲロ・ヒュッターと共に講演をおこなう。2人は今でもメールを交わす仲だ。ヒュッターは現在、白血病治療に特化したドレスデンの企業セレックスに医療部門管理者として勤務している。
「私たちは、医療史に新たなページを書き加えました。幸運にもちょうどいいタイミングで頭によぎった記憶のおかげです。あんな幸運は、2度とないかもしれません」。

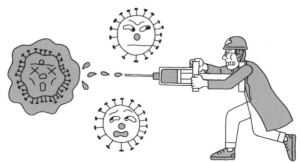

 A.D.1200　 A.D.1400　A.D.1600　A.D.1800　 A.D.2020

A.D. 2009

094 環境問題への
セクシーな取り組み方

　ドイツの雑誌《エコテスト》をご存じだろうか？　表紙面に雑誌名が赤い
ブロック体で記され、「エコ」と「テスト」の間にメープルリーフのマーク
が添えられている。その下には小さめの文字で副題「真のよい暮らし」とある。

　この雑誌が創刊された1985年は、空気中の放射能、北海の石油、酸性雨
といった、かつてない規模の環境汚染に人々が怯える時代であった。編集部
と検査技師とが共同で、市場に出回る商品の生態系への影響を検査し、不安
に怯える市民を安心させるのが《エコテスト》誌の目的だった。すべてはま
たよくなる。正しく買い物するだけでいいのだ。

　2000年代の消費者は倫理的に正しいと思われるものを買い、グルテンや
乳糖を避けるようになった。安全で長く健康に生きたいという願望がそうさ
せたのもあるが、よいことをしたという気持ちになれるし、満足した気分に
なれたのだ。

　そんな消費者の気持ちを配慮したからだろうか、《エコテスト》誌2009年
5月号では性玩具を取り上げた。もしかしたら《エコテスト》誌のイメージや、
エコロジー界隈をほんの少しだけ「セクシー」にしたかったのかもしれない。

　さて、《エコテスト》誌の専門家たちは性玩具だからといって特に昂奮し
たわけでもなく、淡々とエロティック市場に出回る商品を調べた（第85章「世
界初のセックスショップ」参照）。

　「オリオン社のイルカ（バイブレーターの商品名）は、開封したと同時に嫌な臭

| B.C.8000 | B.C.4000 | B.C.1000 | A.D.0 | A.D.1000 |

いが鼻を突き、すぐに部屋じゅうに立ち込めるほどだった」。審査員の1人は不快感を込めてそうコメントした。

　バイブレーター5製品が、及第点もしくは不可の結果であった。バイブレーターに使用された素材の「ジブチルスズ化合物やトリブチルスズ化合物といった多環芳香族炭化水素の含有量が非常に高かった」ためである。《エコテスト》誌が品質を保証する製品にはシールが貼られる。《エコテスト》誌の審査を受けるからには、メーカーとしては、このシールが欲しいところだ。さてバイブレーターを検査した《エコテスト》誌は、12製品にシールを与えた。

　特に検査官のお気に召したのが、木製の「固く、たわむことのないバイブレーター」。玩具のレールなど、子ども向けの玩具にも使用される素材だ。バイブレーターの評価にあたり、汚染負荷、加工方法、臭い、モーター出力など複数の観点から検査を進めた。

　ただ1点、《エコテスト》誌が検査し忘れた項目がある。

　どのバイブレーターが女性を至極のオーガズムへと導くのか。

　検査官がそんな疑問を思いつくことはなかったようだ。

A.D.1200　A.D.1400　A.D.1600　A.D.1800　A.D.2020

A.D. 2013

キム・カーダシアンの
セクシー自撮り

更衣室に立つ、1人のモデル。背後に立てられた白い衝立^{ついたて}から、自撮りするモデルの左半身に柔らかく温かな光が注がれる。モデルが身につけているのは白く、裾なんてほとんどない水着だ。半身は後ろを向き、上半身と頭だけをこちらへと振り向かせている。モデルの目はこちらを向いていない。スマートフォンの画面に集中しているからだ。左手のスマートフォンで鏡に映る自分の姿を画面に捉え、撮影ボタンをタップする。そう、モデルは写真を撮る自分の姿をカメラに収めた。

何も知らない者が当の写真を見ると、自撮りに失敗したのだな、と思うだろう。顔の右半分が金色の髪に隠れてしまっているからだ。だが彼女が写したかったのは、自分自身の顔ではない。水着から垣間見える左胸でもない。わずかに曲げた左脚を横に引くことで、画面の中央へと視線を惹きつける。そこに写るのは、大きくて丸い美尻だ。

2013年10月にモデルで女優のキム・カーダシアンが撮ったベルフィー（Belfie）である。英語で尻を意味する「Butt（バット）」と、自撮りを表す「Selfie（セルフィー）」とを組み合わせた造語だ。といってもカーダシアンが生み出した言葉ではない。彼女が自分の尻写真をSNSにアップしたところ、無数のファンとフォロワーが拡散し、一種の社会現象を引き起こした。理想の美しい女性像が更新されたのだ。

豊満でむっちりとした巨乳、すらりと長い脚、6つに割れた腹筋は、もはや何の意味も為さなくなった。《ニューヨークタイムズ》紙は、昂奮したよ

B.C.8000　　　B.C.4000　　　B.C.1000　　　A.D.0　　　A.D.1000

うに報じた。「尻は、今やアメリカ人が欲望を覚える部位の1つとなった」。

　1991年にはすでに、アメリカのラッパー、サー・ミックス・ア・ロットは高らかに歌いあげていた。「俺は、デカいケツが好きだ」と。それから四半世紀後、ヒップホップは音楽、言葉、ファッションのすべてに影響を与え、さらには人々が理想とする肉体像に変化をもたらしたのだ。そう、「デカ尻」をブルブルと震わせながら、男たちに指を絡める女たちの姿へと。ヒップホップのプロモーションビデオは、フィットネスとストリップショーを混ぜ合わせたような仕上がりで、大きなお尻で有名な「セレブ」が出演している。

　女性の臀部を巡っては、歴史は紆余曲折を経てきた。臀部の美が常に注目を集めてきたわけではないのだ。古代エジプトでは臀部への関心など無に等しく、細く少年っぽさのある女性が好まれていた。ところが古代ギリシアでは、美尻は非常に人気があった。紀元前340年、彫刻家プラクシテレスがかの有名な作品「クニドスのアフロディテ」を生み出した。像は神殿の壁の前に立てられ、アフロディテの美しさをひと目見ようと観光客たちが多く足を運んだ。観光客の1人が女神の「後ろ側」も見たいと言ったことから、像の後ろの壁に扉が作られた。アフロディテの尻は自由に鑑賞されることとなり、その美しさを前に観光客は歓声をあげたという。

　それから数世紀後、女性がもっぱら絵画という2次元の世界で描かれる時代のこと。「画家の王」ルーベンスは、女性の大きな尻に美しさを見出した（第49章「天才画家の理想の女性像」参照）。17世紀初頭および19世紀末には、女性モデルは尻を大きく見せて強調させようと詰め物をした。「キュル・ド・パリ」、パリのお尻のことである。

　そして2013年、尻ルネッサンスが巻き起こった。カーダシアンに続き、リアーナやビヨンセらが自らの尻を撮影した画像をアップし、さらに何万人もが流行に乗った。今や「デカ尻」は一大トレンドとなったのである。

A.D.1200　　　　A.D.1400　　　　A.D.1600　　　　A.D.1800　　　　A.D.2020

ディズニー・チャンネルのスターであったマイリー・サイラスは、プライムタイム番組でヒップホップを踊りながら、腰を低くして尻を挑発的に動かす「トゥワーク」を披露した。ニッキー・ミナージュが自身の「大きなヒップ」を高らかにラップで歌った曲はチャート入りした。《スポーツ・イラストレイテッド》誌の水着特集号では、モデルたちが笑顔で尻を見せる姿が表紙を飾った。プッシュアップパンツが店頭に並べられ、「ブラジリアン・バット・リフト」と呼ばれる整形手術が話題となった。腹の脂肪を吸い取り、尻に注入するという美容整形手術だ。

カーダシアンは「ベルフィー」を撮影するにあたって、ミナージュの歌詞にあるような「キャディラックのようなお尻」が地位の象徴となるように演出した。女性たちは日に日に精力的に社会に進出し、地位を得て、角部屋のオフィスを勝ち取り、収入を上げるべく社会競争に挑んでいる。そんな時代に生きる女性にこそ、筋肉豊かな張りのある肉体がふさわしいのだ。女性たちは自分たちの現状に甘んじることなく、なんとしても美尻を得ねばならぬ。美尻とは、セックスシンボルであり、成果主義社会のシンボルであるからだ。

カーダシアンは尻の大きさを強調するために、常にウエストまわりにコルセットを着用している。加えて週に6回、フィットネスジムに通っているそうだ。

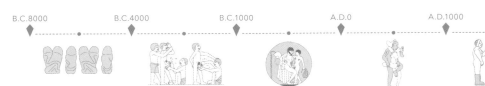

A.D. 2014

096 マッチングアプリ・ルネッサンス

　2014年春、歌手のケイティ・ペリーは当時付き合っていたロックスターのジョン・メイヤーと破局した。当時29歳だった彼女が失恋の悲しみを乗り越えるべくとった方法は、世の29歳と同じであった。スマートフォンにマッチングアプリ「Tinder」をダウンロードしたのだ。「Tinder」とはいわば出会いのレーダースクリーンのようなもので、近くにいる出会いを求める人々の存在を知らせてくれる。後にペリーはインタビューで「Tinder」を使うことの効率性を絶賛した。

「そんなに時間があるわけじゃないもの。『Tinder』にすっかり夢中になっちゃった」。

「Tinder」をはじめ、「LOVOO」や「Badoo」といったマッチングアプリは、数ヶ月で数百万人のユーザーを獲得し、人々の生活様式や恋愛様式を変えてしまった。使い方が単純なので、世界中の人間が容易に使いこなせる利点がある。近くにいる独身者の存在をアプリが感知すると、簡単なプロフィールが画面に現れる。名前と、ちょっとした個人情報、6枚の写真を確認したら、親指で緑色のハート印か赤のバツ印を押すだけ。2人ともが緑色のハート印を選んだ場合は、チャット機能を利用して会話をすることができる。「マッチング成立！」。これ1つで何でもできるというわけだ。

　ケイティ・ペリーだけじゃない、アシュトン・カッチャー、ヒラリー・ダフといったスーパースターもマッチングアプリを利用した。いつでも綿密に計算をした姿で大衆の前に現れ、大勢のパパラッチに追いかけられて過ごす

A.D.1200　　A.D.1400　　A.D.1600　　A.D.1800　　A.D.2020

セレブたちまでもが使うことから、いかにマッチングアプリが世間に浸透し、成功を収めたかがよくわかる。

2015年、「Tinder」は認証済みアカウントのサービスを開始。セレブたちのアカウントが、愛に飢え、恋に狂ったセレブ本人のものであると保証するというものだ。究極の夢じゃないか。まるで恋くじの懸賞品だ。マッチした相手が偶然にもスーパースターだなんて。

世のなかを変えるほどの力を持った新しいものが現れると、それに反発するものが出てくるのが常である。「Tinder」もまた、例外ではなかった。親指で画面をスワイプしながら出会いを探すユーザーに、反対者たちは人差し指を突きつける。おいおい、決めるのが早すぎないか、表面的にしか見ていないだろう、少しは考えたのか？　実際のところマッチングアプリは利用者が必要とする量の情報を与えるといっても、次々と無秩序に情報が開示されるため、やがて思考が停止してしまう。

ドイツでは今も昔も3組に1組のカップルが職場恋愛で結ばれている。全カップルの80パーセントが互いに似た仕事に就き、同程度の教育水準にある。出会い系サイトとしては、ドイツにはこれまでも「Parship」があったが、肩書、収入、家族などに応じて利用者が分類され、水面下で両者が引き合わされるという、ポストモダン化によって生み出された現代のカースト制度をさらに先鋭化させたようなサービス内容である。

ところが「Tinder」には学位も貯蓄額も表示されない。感情を惑わす偏見という名の目隠しをユーザーは取り払うことができるのだ。ここで注意したいのが、アプリでファーストコンタクトでマッチングが成立したからといって、本来の目的——愛だとかセックスだとか安心感だとか——の成就からはまだほど遠いということ。「マッチ」とは両者のコンタクトの扉が開かれたことを意味するに過ぎない。そのコンタクトだって、積極的かつ適切に使う

| B.C.8000 | B.C.4000 | B.C.1000 | A.D.0 | A.D.1000 |

ことで初めて有効な手段になり得るのだ。最初の文章で相手の心を仕留める
ことが肝要だ。心を惹きつけ、ウィットが利いていて、礼儀を忘れないこと。
　ロマンス界に巻き起こったルネッサンスの代表格、それが愛のアプリ
「Tinder」である。

A.D.1200　　　　A.D.1400　　　　A.D.1600　　　　A.D.1800　　　　A.D.2020

A.D. 2015

097 通信販売でSMプレイ

　鞭1本39ユーロ95セント、「理想の長さ」60センチ、素材は革・ポリ塩化ビニル・ナイロン。

「『フィフティ・シェイズ』の快楽の世界に浸りましょう」。

　ドイツの通信販売企業オットー社の認可した性玩具(ディルド)の広告に、実際に記載されていた文言だ。

「力強くしなやかな打たれ心地に、これ以上ない快楽を味わうことができます。グリップはゴム製ですので、パートナーの快感が直(じか)に伝わってきます。快楽と苦痛を同時に味わえる理想の道具」。

　オットー社のカタログは、写真と注文番号が記載されただけの分厚い印刷物とはひと味違った。戦後、1950年「経済の奇跡」と呼ばれた時代に発行された300部の初版カタログには、14ページにわたって28足の靴が紹介されていた。やがてズボン、Tシャツ、ミキサー、テレビ、ソファと取扱品目を増やしていった。

　オットー社のカタログに掲載された製品は、ドイツ人が一般に買い求めるものばかりだった。大衆消費市場(マスマーケット)を想定した大量生産品で、真新しくもなければ競合より先んじているような製品でもない。ニッチな需要に応えるわけでもない。ただ、ドイツ人なら誰もが欲しがるような品目を揃えていた。

　ドイツ人の堅実性を体現した存在ともいうべきオットー・カタログが、手錠やら目隠しやら鞭やらを売り出した。これが意味することは1つだ。SMプレイが、ドイツ社会の中核に置かれるようになったということである。

| B.C.8000 | B.C.4000 | B.C.1000 | A.D.0 | A.D.1000 |

古来人類は、快楽と苦痛の組み合わせに魅せられてきた（第14章「墓室に描かれたエトルリアのSMプレイ」、第60章「マルキ・ド・サドの性描写」参照）。だがオットー・カタログの一般利用者が、SMプレイに興味があってもそれを明け透けに語ることは、21世紀初頭ではほとんどなかった。

　すべてを変えたのは1冊の本。実際、人類史上ここまで影響力を振るった書物は他にないだろう。アメリカで第1巻『フィフティ・シェイズ・オブ・グレイ』が刊行されたのは2011年のことであった。E・L・ジェイムズによる三部作『フィフティ・シェイズ』シリーズは全世界で1億部以上を売り上げた。ドイツだけでも600万弱の部数が、国内の男女の手に渡った。特に熱狂したのが女性であった。

　シリーズの売り上げが伸びるほど、SMファンにとっては自分の嗜好を語りやすくなる。全世界1億人以上が魅了された嗜好が異常なわけがないのだから。いつしか電車の中で『フィフティ・シェイズ』を臆することなく読む人々の姿が現れるようになった。そのうち読むだけでは飽き足りなくなったのだろう。アダルト商品専門店でのSMグッズの売り上げは2013年から2015年の間に数百パーセント増加した。オットー社はSMグッズの売り上げ推移を公表してはいない。だがどうやら、鞭は「トップセラー」だったようだ。

　SMプレイは、今日という時代によく見合っている。1960年代、とりわけ1968年にピークを迎えたドイツの反権力学生闘争に参加した、いわゆる「1968世代」（第86章「ライナー・ラングハンスの性回顧録」参照）。彼らは確かに開放的なセックスを営んではいたが、それは同時に心理学や政治と結びついた活動であった。続く数十年、ベッドの中での振る舞いについて延々と激しい議論が繰り広げられてきた。

「週に何度セックスしなきゃいけないの？」

「パートナーの感情や希望をちゃんと尊重しているだろうか？」

A.D.1200　　　A.D.1400　　　A.D.1600　　　A.D.1800　　　A.D.2020

「それをちゃんと伝えるには、どう言えばいい？」

「どんなことならパートナーに要求してもいいの？」

「何をしてやらないといけない？」

「飲み込んだほうがいい？」

「上と下、どっち？」

「ねえ、気持ちよかった？」

　議論することは大切だ。だが余計な知識がつくし、鬱陶しいし、興が削がれてしまう。SMプレイはひと晩中でも続けられるし、半時間やるだけでも寝室や2人のあいだに流れる空気に明確な線が引かれる。女と男のどっちが支配者を演じるかなんて、どうでもいい。両者の役割がはっきりと分けられることで、どちらもが何をすればよいのか、縛るべきか縛られるべきか、打つべきか打たれるべきかを悟ることができるのだ。ルールも明快、だからこそ何をしていいか迷うこともないし、自分自身やパートナーに不安を抱くこともない。ただ想像力にまかせて行為に没頭すればいい。

　2015年にもなって通信販売で道具を取り寄せ、性の未開の地を切り拓こうなんて、おかしな話だと思うだろう。だが、そんなものだ。セックスとは時として、小説よりも奇なる逸話を提供する。

B.C.8000　　B.C.4000　　B.C.1000　　A.D.0　　A.D.1000

A.D. 2015

098 ファイザーが生んだ青色の奇跡

「ウケを狙ったんだ」、「ジョークのつもりだったんだよ」。

いったいなんだってバイアグラを35錠も飲んだのだ。医師に尋ねられた36歳のダニエル・メドフォースは、そう答えた。

2015年も終わりに差しかかる頃、イギリスの建築作業員メドフォースは友人のところを訪れた。2人は酒を飲み交わし、他愛（たわい）もないことを話していた。どういった経緯でメドフォースが精力剤を2シート分も飲む話になったのか、今となっては思い出すこともかなわない。わかっているのは、2人が同衾するつもりがなかったこと。バイアグラを摂取してまもなく、メドフォースの具合が悪くなった。イチモツが勃（た）つのは予想通りだったが、激しい頭痛とめまいまでしてきた。おまけに視界が緑色に染まる始末。2人は実験を中止し、救急車を呼んだ。

退院したメドフォースに、大衆紙からインタビュー依頼が多く寄せられた。すごくラッキーだった、とメドフォースはインタビューで語った。体内から薬が全部出ていったんだ。妻も許してくれたよ。ただ5日間勃ちっぱなしでね、マジで参ったよ。

メドフォースは、かなり幸運な事例だ。バイアグラを大量摂取したためにペニスの切断を余儀なくされた例も複数報告されている。組織が修復不可能なレベルまで損傷し、壊死（えし）が起こってしまったのだ。

こんな「ジョーク」は、これが最後であってほしい。1991年バイアグラの作用物質の特許申請が認められたとき、アメリカの化学者イアン・オスター

A.D.1200　　　　A.D.1400　　　　A.D.1600　　　　A.D.1800　　　　A.D.2020

ローは思ったことだろう。酵素PDE5の活性を阻害するシルデナフィルの開発は、元々心臓機能障害の治療を目的としていた。だが人を対象とした治験段階では、研究者たちは大して成功を期待してはいなかった。ところが、被験者のなかには治験が終わっても余った錠剤をなかなか返そうとしない者がいることに、研究者たちは目ざとく気がついた。しかも夜間の実験室への侵入が2度発生したのだ。どうやら勃起状態が長く保たれるという嬉しい「副作用」が生じたらしいことが、被験者の報告からわかった。

1998年にファイザー社が医薬品バイアグラを販売。医薬品業界の大ヒット製品となり、数多の男性たちの人生を変えた。バイアグラが現れるまで、前立腺の病気に罹り勃起不全を患ったり、一般的な男性機能の低下に悩まされたりしてきた男性たちに取れた手段は数少なく、どれもさほど期待できそうなものではなかった。

たとえばペニス内部の海綿体にシリンダーを、陰嚢にポンプを移植し、性交時には陰嚢ポンプから水を流して勃起させる方法がある。あるいはペニスポンプを使うとか。ガラスの真空管にペニスを挿し込み、吸圧で勃たせるという方法だ。ただし輪状ゴムパッキングの圧力でペニス内部の血液の流れが堰き止められてしまうのが欠点だ。ペニスが青黒く変色し、冷えてしまうのだ。

バイアグラにも頻脈、ほてり、軽いめまいといった副作用がある。だがペニスに器具を移植したり、血流を止めてでも勃起させたりするのに比べれば、バイアグラの副作用など天国のようだ。だからこそ男たちは、1錠あたり20ドルほどのお金を払ってでも買う。

ファイザー社がバイアグラで計上した売り上げは20億ドルにのぼる。シルデナフィルの特許は2013年に切れた。安価な後発医薬品や、他の作用物質から作られた競合品が市場に出回るようになり、ドーピング・セックスの普及に一役買った。

B.C.8000　　　　B.C.4000　　　　B.C.1000　　　　A.D.0　　　　A.D.1000

　精力剤を摂るのは、もう勃起不全に悩む年配の男性だけではなくなった。健康な男性も、性生活をこれ以上ないほどに充実させるべく、精力剤を飲むようになった（服用後に一定の時間を空けなくてはならないのだが、その意識は抜け落ちていたようだ）。また、スピードなど定番の薬物（パーティドラッグ）を摂取したクラブ客が、一時的な勃起不全を治そうとして精力剤を服用した。

　2015年時点で、全世界でバイアグラを服用している男性の数は約4000万人である。青い錠剤のバイアグラは、トレンド品となった。同じ医薬品でも病を克服するためのものではない、一定のライフスタイルの実現をかなえてくれる製品だからだ。

　バイアグラの流通の果てには恐ろしい未来が待ち受けていると悲観する者もいたが、今のところは懸念することもなさそうだ。枯れても女性と一発やりたいチョイ悪オヤジが群れをなして街を練り歩き、社会の平穏を乱したわけでもなし。パートナーが勃起するのは自分に昂奮したからなのかどうか、ひょっとしたら「この薬」の作用なのではないかと、女性が自信を失って破局したというカップルの話を聞いたこともない。

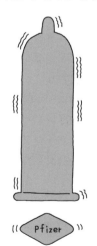

　ともかくもバイアグラの流行には、また別の嬉しい「副作用」があった。東アジアのインチキ臭い呪術商法があらかた撤退したのだ。毒にも薬にもならないサイの角の粉末だの、腐った油みたいな味の虎の睾丸だのに高い金を払って買い求める者などいない。まして中国では最近、シルデナフィルと穀物酒を混ぜ合わせた飲みものが現れたくらいなのだから。

A.D.1200　　A.D.1400　　A.D.1600　　A.D.1800　　A.D.2020

A.D. 2015

099 ポルノクイーンが世界を救う？

　ミア・カリファはどこにでもいる普通のアメリカの若者だ。アイスホッケーのチーム「ワシントン・キャピタルズ」を応援し、犬の散歩に出かけるのが好きだ。

　生まれはレバノンという彼女には、故郷の中東から日常的に殺害を示唆する脅迫メッセージが送られてくる。ポルノ映画に出演したことが理由だ。それもムスリム女性が伝統的に頭を覆う布、ヒジャブだけを身につけて画面に映った。

　「貴様は地獄の釜で焼かれることになる」。そんなメッセージをツイッターで送る人間が何十人といるのだ。また、ISILによる処刑映像と彼女の顔写真を合成する者もいた。

　2015年、22歳のカリファは世界でも有数のポルノ女優となった。インターネットの大手アダルト動画サイト「Pornhub（ポーンハブ）」でのカリファの検索件数は、前年比2129パーセント増であった。

　「性の女神ランキング」なるものがあれば、2位に躍り出る存在となったのである。唯一勝てない相手が、キム・カーダシアン。恋人との行為をプライベートで撮影したテープを流出させてしまった御仁である（第95章「キム・カーダシアンのセクシー自撮り」参照）。

　ネットサービスを提供する企業には当たり前のことだが、「Pornhub」もユーザー情報に無制限にアクセスする権限を有している。自社や連携サイトのサーバーを通して1秒あたり75ギガバイトのデータが転送されるので、

B.C.8000	B.C.4000	B.C.1000	A.D.0	A.D.1000

ユーザー情報を正確に読み取ることができるのだ。「Pornhub」ユーザーのうち73パーセントが男性だが、女性のアクセス数も年々増加している。サッカーの注目試合がおこなわれている間の閲覧者数は激減する。サッカー・ワールドカップ開催中の4週間は、どうやらユーザーに愛国心が芽生えるようで、自国の映像を検索する数が通常の3倍となるそうだ。

「Pornhub」の統計資料は、人類や各国民の思考や感情を数値化させたものとしては、従来の世論調査や経済指数よりも優れている。考えてもみてほしい。どんな画像や映像を見ようかと考えているときに、自分に嘘をつく人間なんていないだろう。何をオカズにするかを見れば、その人となりがわかるというわけだ。

「Pornhub」のクリック数が最も下がるのがクリスマスだ。聖なる夜くらい、画面の前で自分を慰めるよりも、もっと他にやることがあるということらしい。イタリアやポーランド、ルーマニアで最も多い検索ワードは「ホット・ママ」だ。いずれも昔から家族同士の結びつきの強い国々だ。カトリック教会との関係も相まって、このような傾向が生まれたのかもしれない。

　さて「Pornhub」のサイト閲覧時間は、自慰を始めてから絶頂に達するまでの時間とほぼ同一である。とすると、興味深い数字が見えてくる。最長閲覧時間はネパールの平均13分39秒。これに比べると、エジプトの閲覧時間は平均6分48秒しかない。文化によってオーガズムに達するまでのスピードが変わるのだろうか？　またはブロードバンドインターネットの接続料金が関係しているのだろうか？　それとも性が抑圧された社会では、できるだけ最速でイカなければならないという事情があるのだろうか？　つまり自慰は有罪で、バレると「地獄の釜で焼かれ」てしまうから。

　全ウェブサイトのうちポルノの占める割合は12パーセント、ダウンロード件数は全体の35パーセントである……こうした統計結果を持ち出してポ

A.D.1200　　　　　A.D.1400　　　　　A.D.1600　　　　　A.D.1800　　　　　A.D.2020

ルノを批判する者がいる。今やインターネットの中核を成すポルノという存在をいつまでも野放しにしていては、子どもたちにどんな影響を及ぼすか知れたものではない。そう懸念するのだ。ただ今のところは、ポルノサイトと若者たちの性の乱れの関連性を証明する資料は存在しない。

「Pornhub」の統計結果を見ると、ポルノグラフィにはひょっとすると人間を教化する力があるのかもしれない、なんて思ってしまう。イランで最も人気のアダルト動画カテゴリーは「レズビアン」……かの国が大悪魔と称するアメリカでも、まったく同じ結果であった。女性同士が上下重なり合って耽る行為に男どもが涎を垂らすのは、宗教の違いや国境など関係なしに万国共通らしい。互いの国民同士を結びつける一助となるかもしれない。

　先述のカリファもまた、宗教も文化も大陸も異なる国々――アルゼンチン、イギリス、レバノン、シリア、ヨルダン、イスラエル――で絶大な人気を博している。

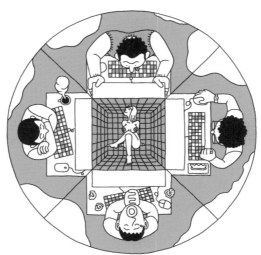

B.C.8000　　　B.C.4000　　　B.C.1000　　　A.D.0　　　A.D.1000

A.D. 2016

人類1万年のセックス史
——おわりに

　古代シュメールの男たちは、熱心に妻の 膣 を眺めていた。そうすることで裕福になり、幸福が得られると信じていたのだ。紀元前600年、エトルリアの芸術家たちは、開放的なSMパーティを礼賛する壁画を遺した——E・L・ジェイムズが官能的ロマンス小説『フィフティ・シェイズ・オブ・グレイ』を著すよりも2600年も前に。古代中国の医師は、毎日飽きもせず性行為に耽る皇帝の相手をつとめる女性たちに、陰の気の生成を促すためアナルセックスを推奨した。インドの文献『カーマ・スートラ』には、相手の背中に引っ掻き傷をつけるときのお勧めテクニックが8通りも記されている。中世の司祭は装着式性玩具に並々ならぬ執着を見せていたし、ルネッサンス期にはひと晩で4回以上イクのは女性の権利といわれていた。

　人類史1万年に及ぶ性の歴史がテーマだと聞くと、誰しも顔をほのかに赤らめ、そもそも我々の生きるこの世界、この時間はいったい何なのだろうかと自問せずにいられなくなる。果たして我々は、自分が思うように性の歴史について充分に啓発されていて、深い性の知識を持っているといえるのだろうか。

　それとも世間一般でよくいわれるように、「性欲過多の欲求不満」なのだろうか。性に通じているからこそ、常にセックスの砲撃に晒されていながら、あえて何もしないのだろうか。

　そうだとするなら、本書を読むことはお勧めしない。乳房、ペニス、脚、

A.D.1200　　　A.D.1400　　　A.D.1600　　　A.D.1800　　　A.D.2020

アダルト動画、画像、猥談、自慰の秘訣情報といった性的モチーフを描いた、脳内一面に広がるモザイク画に"ポルノ要素を加えて解像度を高める"のが本書の目的だからだ。

　文明史は、とうてい一直線に辿れるものではない。すべてがより強烈に、大規模に、尺は一層長く、そしてヤバさを増しながら紡がれてきたものなのだ。

　私たちの生きるこの21世紀初頭の社会は、矛盾に満ちた世界だ。しきたりにうるさい老人たちはいなくなった。夜の営みについて、その相手、頻度、進め方はかくあるべしとくどくど言う牧師もいない。マッチングアプリの「Tinder」を利用すれば、ひと晩の相手にも、生涯のパートナーにも、ものの数秒で出会うことができる。通信販売で買った鞭や手錠が、夜間配送でちょうどいいタイミングで家に届けられる。おまけにベルリンでその手のパーティーに行けば、大便をかちこちに凍らせて作った性玩具をあそこに咥えさせることだってできる。望むことはなんでもかなうからこそ、そのすべてが良しとされるわけではない。

複数の国々で実施したアンケート調査によると、回答者の過半数が自身の性生活に満足をしていないという。日本の若者の場合、男性の20パーセント、女性の約半数にとって、セックスはもはや意味を為していない。

　1960年代後半、メジャーな映画館で上映されていた『卒業』（1967年）などの映画ではエロスが賛美されており、その後に公開された『グローイング・アップ』（1968年）も、まぁ、ある意味では、然りであった。ところが今日の映画では、たとえば『SHAME─シェイム─』（2011年）や『ニンフォマニアック』（2013年）などの作品ではセックスシーンが鮮明に描かれる。登場人物たちはセックス依存症か心的外傷を抱えているか、心が麻痺しているかのいずれか……ともかく医師や検察官の関わるケースなのだ。こうした映画を鑑賞していると、我々の生きる現代社会は欲望に満ちあふれた世界とは対極にあるような気がしてくる。

　本書は、人類が絶えず性欲過多だったことを教示するものである。ホモ・サピエンスは1万年もの昔から、病的なまでに性への関心を示してきた。洞窟の壁にポルノ画像を刻み込み、パピルス紙に性的モチーフを折り込んだ詩を綴っては人に送り、珍妙な戒律やら禁令やら職種やらを考え出した。セックスは、単純に生殖目的で性器を結合させる行為よりももっと大きな意味を持つ存在であった。

　古代メソポタミア、古代エジプト、1920年代のヴェネツィアやベルリンでは、セックスが日常生活や、自己イメージ、道徳観念といったものとの関わりで語られることは一切なかった。仮面舞踏会に参加する者たちは、厳格で退屈な生活を送る普段の自分を隠すことができた。1970年代になっても、理性の箍（たが）が外れて犯したひと夜の過ちを謝罪するのに、「つい我を忘れてしまったんだ」というお決まりの台詞がまかり通っていた。

A.D.1200　　　　　A.D.1400　　　　　A.D.1600　　　　　A.D.1800　　　　　A.D.2020

翻って現代の人間は、我を忘れることを良しとはしない。自己のすべてを把握し、常に己を律し、理性的であらんとする。1日の歩数（多ければ多いほど良し）や摂取カロリー（少なければ少ないほど良し）をコンピュータ上の帳簿に記録し、自己を管理する。よいセックスとは、理性を失うことなく頭を真っ白にできるもの。

　かつて性欲の天敵は、学校の職員室や警察の風俗取締班、牧師館や司祭館にいた。それが今や、我々自身の頭の中にいる。

　セックスとは、マッサージやウイスキー、栄養バランスのとれた3品のオーガニック・コース料理といった嗜好と同一線上で語られるものではない。オーガズムに達せられる保証はないし、返品条項なんてものもない。やってしまったことを元に戻す、「コントロール＋Ｚ」キーも存在しない。

　性愛の女神イシュタルは、ギルガメシュに求愛をはねつけられ、その親友を殺害した。奔放な女性遍歴で知られるカサノヴァですら、袖にされることがあった。夜を共にし、幸福に包まれる者たちは、いつかは挫折し、敗北することもありうることを常に心得ていた。それでも愛の行為を止めることができなかった。愛を巡る物語の主人公たちは、命や性行為を代価として求め、時として、恋人と過ごすわずかな時間のために己が命を危険に晒すこともあった。この主人公たちの活力から、我々は様々なことを読み取ることができる。

　本書は100章から成るが、それでも性の歴史のすべてを網羅しているわけではない。何よりもまず、読者自身が体験しておくべきエピソードを省いてしまったことは確かだ。読者には、本書をきっかけにどうか自ら行動を起こしてほしい。性の歴史は絶え間なく紡がれ続ける。我々の一人ひとりが、珍妙で、突飛で、ややこしく、かつダイナミックで素晴らしい性の冒険エピソードを文化史に書き加える作者なのだ。

| B.C.8000 | B.C.4000 | B.C.1000 | A.D.0 | A.D.1000 |

訳者あとがき

　人間の3大欲求として、よくいわれるのが「食欲」「睡眠欲」「性欲」である。人間が生きていくうえで欠かすことの難しい欲求でありながら、性に関しては日々の生活のなかで明け透けに語ることを一種のタブーと考える向きは強い。だが本当にそうなのだろうか？

　日本赤十字社が漫画『宇崎ちゃんは遊びたい！』とコラボした献血ポスターが、「環境型セクハラ」であり、女性の過度な性的描写であると批判を浴びたのは2019年の10月頃のこと。その是非を巡り、反対派と擁護派がまったく噛み合うことのない議論を繰り広げた。続いて秋葉原にアダルトゲームの巨大広告が掲示され、胸部を極端に強調させた露出度の高い女性のイラストと「おっぱいハーレム」「孕ませ」といった文言が問題となり、千代田区の指導と要請のもと看板が撤去された。漫画などサブカルチャーのなかで過度な胸部の強調など、性的記号として描かれた女性像に不快感を覚える人々の声は近年特に高まっている印象がある。

　性的マイノリティ、特にゲイに対する社会の風向きも変わりつつある。男性たちの恋愛を取り扱ったサブカルチャー作品「ボーイズ・ラブ」を好む女性たちは、自らを自虐的に「腐女子」と呼んだ。社会から身を隠すようにひっそりと活動していた腐女子たちも、現在では以前よりもオープンになったように感じられる。腐女子という存在が漫画やドラマの主人公となり、徐々に世間的に認知度を高めていったためだろう。同時に、かつての同性愛者へ向けられた差別的な視線が和らいだ。漫画『弟の夫』が高く評価され、ドラマ『おっさんずラブ』や（同名漫画が原作の）『きのう何食べた？』が世間の注目を浴びたのも記憶に新しい。

　さらに現代社会は「男性らしさ」「女性らしさ」の呪いから解放されつつある。ランドセルの色が男児は黒、女児が赤だったのは前世紀のこと。今やランドセル売り場の色どりは鮮やかとなり、子どもたちは好きな色のランドセルを選ぶことができる。制服に女子生徒用のスラックスを導入する学校も現れている。2018年12月2日『HUGっと！プリキュア』で男子プリキュアが誕生したのは、象徴的な出来事といえるだろう。

このように私たちの生活を取り巻く「性」の在り方は変わりつつある。性的客体化、セクシャルハラスメント、フィクションにおける男女の描き方、ＬＧＢＴＱなどなど、今や性の議論を避けて生活することは難しい。私たち一人ひとりが「性」の問題と向きあい、自らの価値観を更新させる必要性に迫られている。人類１万年の古今東西の性の歴史を取り扱った本書が、「性」を考える材料として役立つことができればと思う。

　本書は、ドイツ・ミュンヘンの「Nansen & Piccard」社に勤務するジャーナリストたちによって記され、2016年に出版された。プロジェクトチームによって洋の東西を問わず集められた性に関する逸話を、年代順に紹介している。インドや中国、日本のエピソードも含まれているが、やはりヨーロッパのエピソードに偏りがちなのは致し方ないだろう。「性」の歴史を通して中世の暗黒時代、魔女狩り、性的マイノリティへの差別を経て、いかに現代社会が築かれていったのかが読み取れる作品だ。

　興味深いのは、本書では女性の性欲が否定されていないことだ。男性と同様、女性も当たり前のように性欲を持っていることを前提としているがゆえに、本書で紹介される性のエピソードは（マルキ・ド・サド『ソドム百二十日あるいは淫蕩学校』のような特異な例は除いて）男女間の合意のもとにおこなわれるセックスの例がほとんどである（同性間の性行為に関しても同じである）。本書にたびたび登場する「乱交」エピソードも同様だ。男性または女性による一方的な性の搾取ではなく、両性が合意していることを大前提としている。SMプレイも然り。著者がたびたび指摘するように、攻める側・受ける側双方が互いに敬意を払うことで初めて関係が成り立つ。本書は単なる性の逸話集ではなく、男女双方の性を肯定的かつ開放的に見つめ、性による文化形成の歴史を描いた作品といえるだろう。

　本書の訳出にあたり、なるべくジェンダーバイアスを感じさせない表現を心がけてきた。それでもジェンダーバイアスのかかった文章により不快感を覚えることがあれば、それは訳者自身の勉強不足によるものである。

　最後になるが、本書の訳出に際して様々な方にお力添えをいただいた。ドイツ人トルステン・ベッカー氏には、古ドイツ語の解読に関して教示願った。諸先輩方には翻訳作業に関してご助言いただいた上、様々に励まされ、背中を押していただいた。また文響社編集部・平沢様には翻訳作業にあたり幾度も励ましの言葉をお送りいただき、貴重なご助言をいただいた。この場を借りて、お礼を申し上げたい。

性の歴史

2021年3月16日　第1刷発行

編著　ナンセン＆ピカール

訳　藤本悠里

イラスト　海道建太

ブックデザイン　森下陽介（文響社）

校正　株式会社ぷれす

翻訳協力　株式会社アメリア・ネットワーク

編集　平沢拓＋関美菜子（文響社）

発行者　山本周嗣

発行所　株式会社文響社
　　　　〒105-0001　東京都港区虎ノ門2-2-5　共同通信会館9F
　　　　ホームページ　https://bunkyosha.com
　　　　お問い合わせ　info@bunkyosha.com

印刷・製本　三松堂株式会社